Grandes Verdades y Soluciones Estratégi

Aldivan Torres

Grandes Verdades y Soluciones Estratégicas

Autor: Aldivan Torres

©2023- Aldivan Torres

Todos los derechos reservados.

Serie: Espiritualidad y autoayuda

Aldivan Torres, nacido en Brasil, es un escritor consolidado en varios géneros. Hasta la fecha, ha publicado títulos en decenas de idiomas. Desde muy joven siempre ha sido un amante del arte de escribir, habiendo consolidado una carrera profesional a partir del segundo semestre de 2013. Con sus escritos, espera contribuir a la cultura de Pernambuco y Brasil, despertando el placer de la lectura en aquellos que aún no tienen el hábito.

Dedicación

En primer lugar, a Dios. A mi madre Julia, a mi familia y a mis lectores. A todos los que apoyan la literatura nacional. A todos los escritores, colegas profesionales, que hacen soñar a la gente.

Sobre el libro

Es una colección de buenos textos sobre la vida en general. Es un camino que nos lleva a resultados satisfactorios, a un conocimiento infinito de Dios.

¿Cómo ser amante de la sabiduría? Debemos abrirnos al maravilloso amor de la vida, algo que nos deleita y nos motiva en la vida.

El libro tiene las grandes respuestas necesarias sobre la vida y sus matices. Vale la pena la inversión para adquirirlo. Valora la cultura independiente y ayuda a un escritor a vivir de su arte. El mundo necesita más color, más emoción, más alegría, justicia y equidad.

Grandes Verdades y Soluciones Estratégicas

En la escuela militar de Porto Alegre

Entrevista de ingreso

Hablar con otros residentes

Sus estudios en el colegio militar

Historia final

Las cosas materiales no traen felicidad

El conflicto entre una élite privilegiada y la mayoría pobre

Soy una persona sin amigos, pero con una gran autoestima.

Si no intentas un negocio, nunca sabrás si funcionará

¿Quieres saber algo? Así que pregunta

El tiempo corre rápido

Sé paciente para superar situaciones de crisis

La historia de Rosa

¿Por qué la gente no está preparada para escucharnos?

En muchas ocasiones, quise eludir la responsabilidad

Era real: si no te buscaba, no se preocupaba por ti

La reconocida historia del periodista Brito

Conversación con papá en casa

El primer día de trabajo

La primera clase de la escuela de periodismo

Muerte prematura del padre

El glorioso entierro del periodista

Resumen final

Celebremos nuestras victorias, pero también recordemos que hay otros que sufren

El hombre es pequeño

Las relaciones modernas de hoy

Qué difícil es relacionarse con personas con problemas

No te subestimes

¿Por qué se olvida a muchas personas cuando entran en la vejez?

¿Cuál es el adecuado para mí?

¿Cuál es la importancia de la belleza en una relación?

¿Cómo conseguir una buena relación?

Demasiada vanidad nos perjudica

Las personas terminan las relaciones con la motivación de tener nuevas experiencias. ¿Qué pensar al respecto?

¿Qué te mantiene atrapado en una relación problemática?

¿Qué más te impide relacionarte?

¿Funciona hacerse el difícil en una relación?

Somos actores en el gran teatro de la vida

¿Cómo cuidar tu emocional?

¿Qué significa amar al prójimo?

Procura hacer obras de caridad en todo momento y en cualquier lugar

Camino a las Caraíbas

Todo en la vida tiene un por qué y una razón

Por fin han llegado. Había sido un largo viaje desde Brasil hasta el desierto de Egipto. Eran horas que parecían interminables, pero ahora las colocó frente a una cueva donde estaba el ermitaño. Luego se acercan y comienza la interacción.

Paul

Yo soy Pablo, el siervo de Cristo, el ermitaño. ¿En qué puedo ayudarte?

Divino

Mi nombre es Divino y soy parte del equipo de videntes. Mi grupo y yo vinimos de Brasil especialmente para conocerlo. Queremos ser sus discípulos. Buscamos la verdad que Cristo nos enseña.

Beatrice

Soy el mejor amigo de la Divinidad. Estudiamos juntos en el gimnasio y con mi ayuda, emprendimos varias aventuras. Nosotros también queremos ser parte de eso.

Guardián de la montaña

Yo soy el espíritu de la montaña, el primer maestro de lo divino. Juntos, hemos logrado muchos desafíos. Con mi ayuda, entró en una cueva peligrosa y se convirtió en el vidente. Hoy en día, es autor de varios libros importantes de la literatura universal.

Renato

Y yo soy el querido Renato, el joven que rescató en la montaña. A partir de entonces, nunca más nos separamos. Desde entonces, hemos sido un grupo cohesionado, dinámico y alegre. Estamos juntos para aprender.

Paul

Eso es bastante bueno. Sois un grupo maravilloso. Estaré encantado de colaborar. Primero, sin embargo, veo que están cansados. ¿Quieres entrar en mi humilde cueva y tomar un té?

Divino

Será un gran honor, maestro.

Paul

Así que, sígueme.

El grupo entró en la cueva que estaba justo enfrente. Era un lugar sin comodidades y sin ninguna comodidad. En medio de murciélagos, ratas, cucarachas y otros insectos, este hombre vivía en la gracia de Dios.

Beatrice

¿Por qué vives en este lugar inhóspito?

Paul

Porque es el lugar más fácil para esconderse. Aquí estoy libre de los perseguidores cristianos que están llevando a muchos a la muerte. También es un lugar de reflexión, meditación y sencillez. Me gustaría saber de ti en este lugar.

Beatrice

Eso es maravilloso. Felicidades.

Divino

¿Cómo ha sido la experiencia de vivir lejos de todo y de todos?

Paul

Es una experiencia única que todo el mundo debería hacer. No sé exactamente cómo describir con palabras lo que siento, pero esta sabiduría divina rezuma en mi alma. Me siento lleno y lleno del espíritu santo.

Divino

Eso es intrigante. Tuve una experiencia similar en un desierto brasileño. En mi caso, fue la experiencia inversa. Me hundí en la noche oscura del alma y cometí solo pecados. En ese momento, yo era el joven enérgico al que le gustaba mostrar su trasero a los demás. Esto era radical, pero también despectivo. Afortunadamente tomé la decisión correcta y cambié. Hoy en día, soy una adulta trabajadora y responsable. Tengo cuarenta años y muchos proyectos de vida. Mi proyecto más cercano es vivir contigo por unos días para entender un poco más acerca de Dios.

Paul

Todos tenemos pecados. Pero me alegro de que se sintiera avergonzado y se recuperara. Hoy en día, los términos son diferentes y se puede evolucionar aún más. Será un placer mostrarte a Dios en la peregrinación por el desierto.

Divino

Me va a encantar. Hacía mucho tiempo que no me hacía tanta ilusión ir de aventuras.

Guardián de la montaña

Es otra gran aventura. Me encantan cada una de las promesas que nos traen las historias. Desde el principio, en la montaña sagrada, fuimos unos mosqueteros guiados por el destino alrededor del mundo. Ni siquiera se nos ocurrió ir a Egipto y encontrar un santo de Dios. Eso suena como algo sacado de una película.

Paul

No soy un santo. Soy un hombre que ha aprendido algo de la esencia de la creación a partir de las experiencias de la vida. Mi misión es compartir esto con muchas personas.

Renato

Todo esto me motiva aún más a vivir cada momento de la aventura como si fuera el único. ¿Cuándo vamos a empezar realmente la peregrinación?

Paul

Ahora mismo. La tarde ya ha comenzado. Necesitamos encontrar la manera correcta de experimentar todo aquello a lo que la gracia nos invita. Comencemos el camino de Egipto, un gran camino sagrado para todos los que quieren aprender más acerca de Dios.

Dicho esto, se pone de pie e invita a otros a hacer lo mismo. ¿Qué estaba a punto de suceder? Emprendamos juntos esta aventura.

Primer día

Y comienza el gran viaje al desierto. Al salir de la cueva, eligen un sendero en el bosque y lo siguen mientras se enfrentan al bosque. El clima es particularmente bueno, la temperatura es suave, el cielo se abre y los pájaros cantan. ¿Qué sería de ellos en aquel gigantesco desierto? Lo inesperado, el destino, Dios y la energía del universo parecían impulsarlos a cada paso del camino. Era una buena sensación de pertenecer a un avión más grande.

Caminan unos quinientos metros, siguen recto y el paisaje cambia un poco. Con sus energías revitalizadas, su enfoque era encontrar un refugio seguro para aquellos que saben descansar, reflexionar y meditar. Pero todavía estaban al principio del camino.

De inmediato, sus pensamientos están en sus vidas en Brasil, su familia, sus preocupaciones. Pero pronto ese sentimiento termina. Que cada uno pudiera cuidarse a sí mismo. Ya estaban allí con garra, fuerza, coraje, alegría y determinación en busca de sus propios proyectos. Como resultado, completan una cuarta parte del viaje diario.

Aparte del miedo, los recuerdos del pasado dolían debido a los incesantes problemas que los afligían. ¿Cómo sería una aventura en el desierto después de tanto tiempo de carrera literaria? Sería al menos una aventura genial, estimulante y esclarecedora. Era una buena razón para correr tantos riesgos. Luego, justo después de eso, hacen la mitad del camino.

El nuevo escenario los lleva a un hermoso lugar en medio del desierto: un poco de vegetación, animales deambulando, gente en el camino y un camino hacia una localidad. Entonces, siguen el rastro. El nuevo camino produce en ellos una sensación de alivio, ergonomía y aliento. Como por arte de magia, la ciudad se acercaba con cada paso que daba. Todo en el desierto estaba muy cerca. Con ello, completan tres cuartas partes del recorrido.

La última parte del viaje se completa de manera tranquila, pacífica y asertiva. Entran en el pequeño lugar y se dirigen a una de las casas locales. Esperando a Paul estaba uno de sus mejores amigos. Se acomodan en el sofá de la sala de estar y comienzan una importante discusión sobre el crecimiento espiritual, Dios y el universo.

Paul

Dios es amor. Por eso su mandamiento principal es amar. Cuando amamos, evitamos todo tipo de energía negativa a nuestro alrededor. Amar es sublime, perdonar es necesario y la sencillez debe guiarnos. El amor nos rescata de un buen sentimiento de entrega, complicidad, cariño y cariño con el otro. El amor nos hace olvidar el dolor, la incomprensión, la tristeza. El amor nos eleva a otro nivel de espiritualidad. Eso es lo que Jesús realmente quiere que hagamos en primer lugar: amarlo a Él sobre todas las cosas, a nosotros mismos y a los demás.

Renato

Convenir. Amo a mi madre adoptiva, a mi compañera de aventuras, a mis amigas, a mis amigos y a mí misma. Todo lo que he estudiado sobre Dios, sobre la sociedad y sobre la humanidad me apunta a este estado de amor. Pero eso es solo una gran fantasía. Las personas ordinarias, de carne y hueso, a menudo tienen grandes problemas. Tendemos a tener nuestros disgustos. Por ejemplo, no puedo amar a mi padre porque me trató como a un esclavo y no a un hijo.

Paul

Ahí es donde entra el perdón, querido Renato. El perdón te libera del resentimiento. Limpia tu alma. Realmente creemos que tenemos problemas. Esta es la normalidad del ser humano. Cuando no podemos ofrecer amor, ofrecemos perdón.

Renato

Muy bien, querido maestro. Tengo mi alma en paz. Ese romance con mi padre quedó en el pasado. Como en el pasado, ya no pienso en ello. Que Dios te perdone, estés donde estés.

Divino

El amor fue una de las primeras cosas que entendí en el mundo. Amor a Dios, amor a los padres, amor a la familia, amor a los parientes, amor a los hermanos, amor a los compañeros de trabajo, amor a los conocidos, amor a los partidarios de su literatura, amor a todo el universo. El amor es lo que realmente me movió en muchas cosas en el mundo. El amor me ha transformado por completo, y soy un mejor ser humano con amor. Es una lástima que mucha gente no valore esto. Es una lástima que, en el mundo actual, el amor sea cada vez más olvidado y competitivo. Es una lástima que muchas personas solo se muevan por el factor financiero y no por el amor. Lo que le importa a la mayoría de la gente es lo económico y no el carácter de la persona. Sin embargo, aquellos que son movidos por Dios tienen amor en ellos.

Paul

El mundo se está pudriendo bajo sus propias reglas. El mundo está lleno de almas cada vez más malvadas y materialistas. ¿Dónde está la felicidad del hombre? En guardar los mandamientos de Dios. Ahí está el amor de Dios.

Beatrice

El amor en la Wicca se reduce a no desear el mal a los demás. Cada uno, en su conciencia universal, sabe lo que es mejor para él. Así que el libre albedrío nos lleva a elegir entre el amor o el mal. Amar es también priorizarse a uno mismo. Amar es también cuidarse a sí mismo. Porque si no lo hacemos nosotros, ¿quién lo hará? Es en la comprensión de la soledad que se le revela el amor de Dios.

Paul

El que está con nosotros, no está contra nosotros.

Guardián de la montaña

El amor es un gran desafío para todos los que vivimos la miseria del mundo. Entender el amor no es tan sencillo. Es necesario madurar en nosotros la idea del amor como algo universal. Es algo que es fácil de lograr cuando entendemos que no necesitamos grandes rituales para ello. El amor es el camino de todos, lo que nos sorprende porque es sagrado. El amor, en su plenitud, es un privilegio de unos pocos.

Paul

Debido a que es sagrado, tiene que ser una prioridad en nuestras vidas. El amor de Jesús y de Dios por nosotros es algo que está más allá de nuestra comprensión. Nuestro amor por nuestro prójimo a veces es defectuoso debido a nuestra individualidad. Así que ahí es donde decepcionamos con el amor romántico. A menudo, todo lo que nos queda es el amor de Dios, entendido como amor universal por todas las criaturas. Eso es suficiente por ahora. Vamos a dormir porque mañana es otro día especialmente importante para todos nosotros.

Todos obedecen al maestro. Había sido un día increíble. Fue el comienzo de un gran viaje de conocimiento. Que ustedes, los lectores, puedan beber esto de la mejor manera posible.

La segunda etapa de la aventura ha comenzado. Todos en el grupo caminan juntos por un sendero elegido en el bosque. En ese momento, ¿cómo se sintieron? Era un grupo de profesionales y aficionados, ambos con sed de aprendizaje. Divino era el más animado de todos. Como líder del equipo del vidente, se sentía responsable de todos. Estaba bien, pero ansioso por entregar buenas historias al público lector.

En la primera etapa del viaje, se acercan a una montaña de los perdidos. Cuenta la leyenda que muchos se perdieron en su camino. Sin embargo, Pablo conocía bien el lugar desde que era un niño. Por lo tanto, se esfuerza por ser el guía natural de todos en el bosque. Con su experiencia, da tranquilidad a todos. Así, completan una cuarta parte del recorrido.

Los estridentes de la vida sacudieron a la tribu de cada uno de ellos en el paseo. Cada uno, con sus propias creencias, despertó su interior en esos lugares misteriosos. ¿Qué iba a pasar con ese grupo enorme y heterogéneo? No estaban seguros de nada. Solo querían disfrutar del momento y empaparse de la sabiduría del bosque. Fue un momento único y maravilloso.

Con cada paso que daban, una cortina celestial se cerraba. La sed de conocimiento los guiaba en ese inmenso suelo de piedras, espinas, bosque y desierto. Con una disposición monumental, se mantuvieron en el camino con gran dedicación, alegría y coraje. Poco después, completan el ecuador.

En la nueva etapa del desafío, las preguntas inquietantes consumen el resto de su ingenio. ¿Cómo sobrevivir en el desierto? ¿Sería peligroso el bosque? ¿Cómo encontrar a Dios? Hubo muchas preguntas sin respuestas concluyentes. La única certeza que tenían era que estaban dispuestos a llegar hasta el final.

Avanzando rápidamente, atraviesan el denso bosque. Un inmenso ejército de cosas pasa por ellos: hormigas, cigarras, leones, tigres, ovejas, bueyes, entre otros animales. Todo esto los hacía inmensamente felices. Estaban en completa armonía con la naturaleza que los abrazaba sin cesar con sus potentes raíces. Por lo tanto, completan tres cuartas partes del recorrido.

La última parte de la ruta se completa con éxito. Estaban exactamente en el distrito del condado, un pequeño distrito que era un pequeño oasis en el desierto. Se quedan en la plaza siguiendo el movimiento local y comienzan a intercambiar información entre ellos.

Paul

El segundo mandamiento de Dios dice que no debemos tomar su santo nombre en vano. Esto significa que Dios exige respeto por su nombre. Solo debemos dirigirnos a Dios en nuestras oraciones por la noche y en situaciones de gran calamidad. Pero nunca uses el nombre de Dios para cosas triviales en nuestra rutina diaria.

Renato

Entender. La exageración es lo que mata al hombre. Entiendo que una deidad es algo sagrado. Al igual que la naturaleza, que tiene entidades sagradas, debe ser respetada por nuestras creencias.

Beatrice

Es una clara separación entre la criatura y el creador. ¿Cómo puede juzgarte la vasija de barro? ¿Cómo puede enorgullecerse la vasija de barro si está hecha de materia de arcilla? Es un ejemplo de muchas personas de élite que se creen superiores a otras personas. Eso es lamentable en los tiempos que corren. Pero lo que sabemos con certeza en este mundo es la muerte. Y en el cementerio, en este triste lugar, todos corremos la misma suerte.

Paul

El hombre se deshace del recuerdo de la muerte para vivir con alegría, paz y tranquilidad. Toda criatura viviente parece no ser consciente de la muerte. Eso es lo que da energía vital. Pero no debemos olvidarla. Las muertes que nos rodean seguramente nos recordarán a ella. En ese momento, tenemos miedo de lo que está por venir. Tenemos miedo a lo desconocido y no queremos morir en absoluto. Hay una hermosa historia sobre el cielo, pero nadie quiere ir. Existe la expectativa y la creencia de una vida después de la muerte, pero nadie quiere ser el primero en experimentarla. Hay una expectativa de una vida después de la muerte mejor, pero preferimos sufrir en ella que tener que morir. Preferimos la ilusión de vivir eternamente a la realidad de la muerte. Pero la muerte llega un día, viene como un ladrón en medio de la noche. Y con la muerte vienen los juicios de lo que hemos hecho, bueno y malo en la tierra.

Guardián de la montaña

¿Por qué hay diferentes clases sociales? ¿No somos todos hijos del mismo padre?

Paul

La desigualdad es causada por el capitalismo. La propia economía favorece a los empresarios que explotan a los empleados en busca de generar riqueza. Mientras que los empresarios ganan millones o incluso miles de millones con su negocio, el empleado gana alrededor de un salario mínimo que en Brasil es de aproximadamente trescientos dólares. ¿Es eso justo? Depende de tu punto de vista. Para el empresario, existe el factor de lo imprevisto y esto justifica sus mayores ingresos. El empleado, en cambio, tiene vacaciones, decimotercer sueldo, tiempo libre y su sueldo garantizado a final de mes. Es el salario de la supervivencia, pero es algo que te da estabilidad. El empresario, en cambio, no tiene estabilidad.

Divino

¿Cómo superar la desigualdad financiera?

Paul

Imposible en el molde de la sociedad que tenemos hoy. Debido a nuestro modelo económico, siempre habrá desempleo, hambre, ricos, millonarios, pobres y multimillonarios. Sería bueno que los multimillonarios y millonarios pudieran compartir su dinero con los menos afortunados. Pero el mundo es egoísta. La gente solo piensa en sí misma. A la gente solo le importa lo que le afecta. La gente ama y se siente atraída por el dinero, el poder, la influencia, el estatus social.

Divino

Entonces, ¿significa eso que hay una solución para el hambre en el mundo?

Paul

Si los gobernantes y los extraordinariamente ricos quisieran resolver la hambruna, sucedería. Pero no hay buena voluntad. Mientras millones de personas miserables sufren, menos del uno por ciento de la población mundial es muy rica. La desigualdad social es flagrante y aleja a la gente.

La conversación se detiene instantáneamente y comienzan a pasear por el distrito del condado. Era un lugar hermoso, con monumentos históricos, gente extrovertida, muchos niños, jóvenes y adultos. El desierto era un lugar inhóspito, desafiante, pero hermoso. Espera los próximos capítulos.

Comienza la tercera etapa de la aventura. El grupo comienza a moverse en el bosque de enfrente, donde hay mucho terreno para caminar. ¿Cómo se sintieron en este momento? Estaban contentos de haber superado dos retos. El éxito de los desafíos anteriores los llevó a creer que todo sería más feliz, más amoroso y complaciente. Pero podría suceder exactamente lo contrario, incluso si no quisieran.

A lo lejos, escuchan los aullidos de los lobos y tiemblan. Caminar por el bosque era demasiado peligroso y eran conscientes de ello. ¿Qué hicieron para protegerse ante la amenaza del peligro? Rezaron a sus entidades protectoras. Con esto, se sienten a gusto consigo mismos. Caminaron hacia adelante, seguros de que estaban a salvo de cualquier amenaza.

Poco a poco, avanzan por los difíciles meandros del bosque. Un poco más adelante, completan una cuarta parte del recorrido. Fue el primer logro del día, y se sienten felices de que nada se interponga en el camino de su objetivo. Qué felices eran con tan poco. Fueron ejemplos de que la batalla valió la pena.

Frente a él, el universo estaba un poco desierto, un pequeño bosque. Era como si el universo los abrazara a todos, en un gran ritual de amor, prosperidad y alegría. Conscientes del papel que jugaban en la vida de sus lectores, nuestros personajes continuaban con la certeza de que todo estaba claro en sus mentes. Era un grupo cohesionado, coordinado y fantástico. Absolutamente nada podía interponerse en el camino de su experiencia.

¿Qué sabían realmente de sí mismos? Extraordinariamente poco. Es por eso por lo que quisieron saber más en esta intensa experiencia en el desierto. Con la ayuda del Maestro Pablo, que era un cristiano experimentado, les gustaría evolucionar en esta dirección. Y estaban felices de estar todos juntos, en un gran ritual de comunión. Un poco más adelante, completan el ecuador.

En la siguiente etapa, buscarían el pueblo de Macao, un lugar perdido en el desierto, lleno de misterios y encantos. Es por eso por lo que, con muchas ganas, el grupo caminó junto, tarareando y moviéndose con gran disposición. Estaban tan alegres que pudieron ganar el premio al mejor grupo del año.

Entre paradas y avances, se encuentran a las tres cuartas partes del camino. El nuevo logro hace que tengan prisa por hacer que todo suceda. Pero esto podría ser un gran enemigo de todos ellos porque la prisa es enemiga de la perfección.

En la última parte de la ruta, avanzan sin mayores dificultades y tienen acceso al pueblo de Macao. Se reúnen en una plaza y comienzan a debatir temas críticos.

Paul

Guarda los días santos y no trabajes en esos días. Es bueno que un hombre trabaje seis días a la semana, pero al séptimo día descansa. También debe descansar en las festividades religiosas más importantes. En estos días, celebren su unión con Dios en oraciones dirigidas a Él. Pide paz, salud, alegría, fraternidad, amor, unidad, perdón, justicia y comunión entre los pueblos.

Renato

¿Qué opinas de estas personas que solo trabajan?

Paul

Esto es innecesario. De cualquier manera, no le quitamos nada de este mundo a mi Dios. Entonces, ¿por qué trabajar todos los días, sin parar? Solo si es de extrema necesidad. Pero debemos tomarnos nuestro tiempo libre. Debemos alternar entre el trabajo y el ocio y así airear nuestras mentes. Tomamos solo los buenos momentos de este mundo. ¿Cuáles son sus experiencias laborales?

Guardián de la montaña

Soy ama de casa. Esta profesión está totalmente infravalorada por los hombres. Limpiamos la casa, la lavamos, hacemos la comida y cuidamos a los niños. Es un trabajo invisible que hay que hacer.

Renato

Trabajo en el comercio. Es un trabajo agotador pero gratificante. Ver que me ha ido bien en mi papel de vendedor de tienda me da esperanzas de un buen futuro. Ayudo a mucha gente con sus elecciones de ropa y calzado. Elogian mucho mi servicio.

Beatrice

Soy artesano. Vendo muñecas de todo tipo. También hago piezas de ropa con imágenes hermosas. Mis ingresos como autónomo son bajos, pero me hace increíblemente feliz. Hago lo que me gusta y tengo mi propia independencia.

Divino

Ya estoy en mi tercer trabajo como servidor público. No tuve suerte en ninguna de las posiciones que elegí. Dondequiera que voy, parece que no me quieren en el trabajo. En estos tres trabajos, me preguntaron si quería el traslado, pero me negué para no gustar a mis enemigos. Aunque gano mucho dinero en el trabajo, lo que más me llena es mi trabajo como escritor. Es una lástima que no pueda conseguir una venta suficiente para quedarme con la casa. Tal vez incluso sería suficiente si fuera solo. Pero tengo sobre mis hombros la responsabilidad de mantener a cuatro personas. Entonces, todo esto me deja con la certeza de que no puedo sobrevivir solo con literatura. Estoy entre el noventa y nueve por ciento de los escritores que no pueden sobrevivir solo con la literatura.

Paul

Gracias por compartir tus experiencias laborales. Soy un misionero de Cristo. Mi trabajo es ganar almas para mi Dios. Enseño el camino de Cristo para que las personas se sientan inspiradas a cambiar por su ejemplo. Mi fama creció en toda la región y tuve que esconderme en una cueva para protegerme de los conspiradores. Hay mucha persecución contra los cristianos en esta parte de Egipto. Me alegro de que Dios nos haya protegido hasta ahora.

Divino

Gracias por su inspirador ejemplo de fe. Esto nos conmueve. Como trabajador que ha sufrido mucho, tengo que inspirarme en algo para no dejarme contaminar por la mala influencia de los demás. Es muy doloroso tener que llevar este peso en la conciencia de mantener a cuatro personas. ¿Es esa mi misión, Pablo?

Paul

Absolutamente. Si Dios te ha dado esta misión, tómala lo mejor que puedas. Eso no es bueno. Pero si solo tus hermanos te tienen, ¿qué haces en esta situación? Nada. Al contrario, regocíjate porque tienes una manera de mantenerte a ti mismo y aun así ayudar a tus hermanos.

Divino

Verdad. Agradezco mi trabajo todos los días.

La reunión se disuelve y salen a dar un paseo por el pueblo. Un momento de ocio en un momento de gran aprendizaje mutuo. Estaban felices por cada etapa conquistada y continuarían su trayectoria con una alegría sin límites.

El grupo regresó a la cueva. A partir de entonces, discutirían las cosas de inmediato.

Paul

Honra a tu padre y a tu madre. Honra a tu familia. En la hora de necesidad, necesitarás su apoyo. Mientras muchos novios nos abandonan cuando estamos enfermas, la familia permanece. Entonces, ¿a quién valorar? Piénsalo.

Divino

Eso es lo que le pasó a mi novio del trabajo. Si bien me entregué durante siete años con atención, cariño y dedicación, él se olvidó rápidamente de mí. Está a punto de cumplir cuatro años en el trabajo remoto y ni siquiera me ha visitado. Pero es comprensible. Tuve que bloquearlo de las redes sociales para que no sufriera más. Le di el olvido que se merecía, y no me arrepiento. Hoy en día, estoy mucho mejor sin él.

Guardián de la montaña

Me alegro de que lo hayas superado, divino. Eres una persona genuinamente agradable y mereces ser increíblemente feliz. Olvídate de eso de una vez por todas. Si te valorara, no te olvidaría durante cuatro años.

Divino

Fue la magia de esa mujer la que lo abrumó. Incluso es su amante. Ambos se merecen el uno al otro. Era fácilmente dominado por un hechicero o el alcohol. No estoy seguro de lo que pasó. Solo sé que Dios escribe bien con líneas torcidas. No se suponía que fuera mío.

Beatrice

No lo pienses más. No pienses en los rechazos que tanto te han hecho sufrir. Revivir la herida no es un buen plan. Sé feliz por ti mismo. Tu historia es maravillosa, Divina. Usted es un escritor publicado en más de treinta idiomas. Es toda una hazaña para un autor independiente. Adelante, que Dios te bendiga.

Divino

Muchas gracias por tu consideración, amigo.

Renato

He tenido suerte con algunos amores. He tenido algunos buenos momentos, pero eso es todo. Aprecio mi libertad. Honro a mi mamá y a mi compañera de aventuras. Periodo.

Divino

Gracias por mi parte, amigo.

El grupo acepta y se va a acostar un rato porque era domingo. Fue bueno disfrutar del día que fue fantástico.

No matarás

Paul

Escrito está que no matarás. Respetarás a tu prójimo cuidándolo y velando por su vida. La vida es algo sagrado que Dios nos ha dado, y nadie nos la puede quitar. Cualquiera que pruebe la vida no merece perdón.

Renato

Sin embargo, si es en defensa propia, hazlo. Es mejor que muera el sinvergüenza a que tú pierdas la vida. Dios sabrá entender esto.

Paul

El matrimonio entre una pareja debe ser respetuoso. No cometerás adulterio. Si aún no amas a tu pareja, rompe primero y consigue lo que quieres. Pero no traiciones. Duele mucho y nos marca para siempre.

Guardián de la montaña

Con la excepción del matrimonio abierto, donde ambos pueden tener otras parejas. Cuando tenemos un acuerdo, nada de eso importa.

Paul

No robarás. Vive del sudor de tu trabajo. Ya sea que vivas bien o mal, no desees los bienes de los demás. Es mejor vivir con poco, pero con honestidad y dignidad. Sé feliz con lo poco que tienes.

Divino

Me gano la vida con mis trabajos. No gasto lo que no tengo. Trabajo las tres horas y tengo una buena vida con la gracia de Dios. Estoy sano, tengo mi comida si quiero salir, viajo. Puedo comprar mi ropa, mi ropa interior, mis camisas, sin preguntarle a nadie. Qué bueno es trabajar y tener tu salario.

Paul

No darás falso testimonio contra tu prójimo. Por cierto, deberías ocuparte de tus propios asuntos. Si vas a comentar sobre la vida de otra persona, deja que comente algo positivo. Si se trata de hablar de la vida del otro, que sean palabras de apoyo y reconocimiento a una obra.

Beatrice

Gracias a Dios, nunca difamé a nadie. Vivo mi vida con mis hierbas, con mi magia, con mis amigos. Aprendí a respetar a todos los seres. Y así es como me encontré a mí mismo.

Paul

Estos fueron los Diez Mandamientos que Dios nos dejó en profundidad. Hagan un uso efectivo de ella, jóvenes. Pon esto en práctica en tu rutina. Y entonces Dios te hablará en el corazón y te bendecirá. Ámense los unos a los otros y tengan buena suerte en todas las áreas de la vida. Está todo resuelto. Ahora me despido de ti. Gracias por la oportunidad.

Pablo se esfumó y las reuniones fueron canceladas. Dio un ejemplo notable de cristiano para todos aquellos que pudieron escucharlo. Ahora solo era cuestión de seguir adelante y solo llegaría la felicidad.

Amor entre padres e hijos

¿Cómo debe ser la relación entre padres e hijos? Los padres tienen la obligación de cuidar a sus hijos cuando son pequeños. Pero después de crecer, los niños tienen que asumir responsabilidades, crecer alas y salir al mundo para ser emprendedores. Incluso es normal que los niños se muden a otra ciudad en busca de mejores condiciones de vida. Y allí, pueden casarse, formar una familia y vivir una vida independiente de sus padres.

Mi experiencia familiar fue un poco angustiosa. Es cierto que mis padres me querían, pero eran demasiado protectores. Cuando esto sucede, perjudica el desarrollo del niño o joven. Especialmente mi madre, ella no quería separarse de mí. Quería quedarse conmigo en la misma casa. Y así, su voluntad se hizo hasta los últimos días de su vida. En total, viví con mi madre durante treinta y siete años. Falleció a la edad de ochenta años y la llamaban cariñosamente Julia.

A pesar de la imposición de mi madre de vivir con ella, aprobé un examen de servicio civil cerca de casa. Así pude trabajar y, al mismo tiempo, estar cerca de mi madre. Han pasado tres años desde que falleció y la extrañaremos mucho en mi corazón. Era una buena mujer que me dio todo el apoyo en mis estudios y en mi vida personal. Sentía que mi madre me amaba de verdad, aunque en algunas cosas no estuviera de acuerdo conmigo. Pero esto es normal en cualquier familia o persona.

Volviendo al debate de la relación entre padres e hijos, los padres deben educar a sus hijos en las reglas de la honestidad y el trabajo. Los niños deben ser obedientes a sus padres siempre y cuando sean niños o adolescentes. Tan pronto como se convierten en adultos, los niños deben trabajar y buscar la vida en otro lugar, lejos de la influencia de sus padres. Es parte del proceso de maduración experimentar con cosas nuevas y hacer mejoras en tu vida.

¿Deben los niños cuidar de sus padres en la vejez? Yo creo que sí. Porque si el niño no lo cuida, ¿quién va a cuidar a los padres? Aunque sea por gratitud, los hijos deben cuidar de sus padres hasta el final de sus vidas. Las personas mayores no deben ir a la residencia de ancianos. Tienen que ser atendidos por la familia. Admiro la cantidad de personas que son arrojadas a un hogar de ancianos sin ninguna consideración por parte de sus familias. Aunque no le desees mal a nadie, puedes estar seguro de que la ley del retorno nunca falla. Así como abandonaste a tu padre en la vejez, tú también puedes hacerlo.

Las malas situaciones de la vida crean heridas que no cicatrizan. Y eso dificulta nuestro desarrollo como persona

Somos la suma de nuestras experiencias de toda la vida. Y estas experiencias pueden afectarnos tanto positiva como negativamente. Si nos afectan negativamente, tendemos a crear heridas internas y una especie de armadura para protegernos de problemas futuros. Si nos afectan positivamente, tendemos a tomar decisiones más correctas.

¿Cómo lidiamos con nuestras heridas internas? Debemos buscar el proceso de curación terapéutica. Con la ayuda de un profesional, podemos evolucionar y establecer metas y prioridades para nuestra vida personal. Con la experiencia del profesional consultado, finalmente podemos entender la raíz del problema, y buscar soluciones para nuestro crecimiento personal.

Usar una armadura protectora no es la mejor manera de salir de nuestros problemas emocionales. Por el contrario, dificulta una vida activa y saludable. Con la conciencia de que nuestra vida está hecha de riesgos, es mejor emprender y buscar las relaciones humanas que nos completen. En esta etapa, no busques la perfección en los demás. Busca lo posible y tendrás contigo un universo de posibilidades.

Vaya al método de reintentos. Si no funcionó la primera vez, pruebe la segunda, la tercera, la cuarta, tantas veces como sea necesario. Simplemente no renuncies a tu felicidad. Nuestra felicidad es demasiado preciosa para ser descartada.

El verdadero amor entre la pareja es la complicidad entre uno y otro

El amor es una llama poderosa que une a las parejas. Los problemas serán inevitables en una relación, pero cuando se tiene amor, todo se supera. Algo que mejora la relación es la complicidad de una pareja. Cuando estamos seguros de que el otro nos ama, entonces nos entregamos gratis a esta pasión increíblemente especial.

Cuando no te sientes seguro en las acciones de tu pareja, es hora de repensar la relación. ¿Realmente vale la pena dar tanto si la otra persona no responde de la misma manera? Contentarse solo con migajas es un gran error del ser humano. Conozco lo que valgo. Sé que el amor de Dios es grande para mí. Sé que tengo amor propio y si estoy con alguien es porque es algo recíproco. Pero si no me valoran, buscaré mis sueños en otra parroquia.

Hay diferentes casos a evaluar. Pero si has estudiado, si tienes independencia económica, si trabajas, entonces no tienes que conformarte con poco. Siempre debemos querer lo mejor para nosotros mismos. Si nadie nos ofrece algo verdadero, es mejor estar solos, pero con paz y alegría en nuestros corazones. A menudo, la soledad nos enseña un poco sobre Dios, el universo y nosotros mismos. Al ir en una peregrinación interior, eventualmente descubrirás toda la verdad.

Vivir solo tiene ventajas y desventajas

Viví solo durante cuatro meses en Rio Branco. Vivía en un apartamento muy cerca de mi trabajo. Fue una experiencia increíble vivir solo. En cierto modo, me gustaba porque tenía mi libertad de ir y venir. Vivir solo es la prueba de fuego para nuestra vida personal. Es la prueba de que eres un adulto. Es la prueba de que has crecido.

Pero en mi caso, no pensé que fuera tan bueno. Viví mucho tiempo sola. Si me enfermaba, no tenía a nadie que me cuidara. En los cuatro meses que viví sola, no recibí una visita íntima de ningún hombre. Acabo de recibir a un amigo de otra ciudad que vino a una fiesta en la ciudad. Pero este amigo mío ya estaba comprometido y no se metió conmigo.

En definitiva, no merece la pena vivir en el extranjero si no estás acostumbrado a la soledad. Es muy terrible vivir solo. Es mejor quedarse con la familia, aunque no tengas libertad. Pago el precio de vivir con parientes. Pero estoy contento con mi elección. De dos males, escoge el menos.

Ahorre el dinero que le sobra hoy para tener su futuro asegurado mañana. La economía puede fluctuar mucho y traerte pérdidas, sobre todo si eres autónomo. El dinero que te sobra, inviértelo para que se multiplique rápidamente. Al hacerlo, estás siendo cauteloso.

No recurra a préstamos innecesarios. Vive de lo que ganas. No quieres tener una vida de extravagancia si no puedes con ella. Muchos se arruinan cuando gastan innecesariamente.

Si gana un premio de lotería, invierta al menos la mitad del dinero para que gane intereses y asegure su futuro. Dedica el resto al trabajo social y a ayudar a los miembros de la familia. Agradece a Dios y a la vida por este premio de lotería porque es difícil que suceda.

No pongas todas las fichas en un solo ingreso. Diversificar las inversiones

Nunca dependas de una sola fuente de ingresos. Investiga los diversos tipos de ingresos y realiza los trabajos que mejor se adapten a tu perfil. Con múltiples fuentes de ingresos, tu salud financiera tendrá más consistencia.

Infórmate sobre redacción, periodismo, creación de contenido, comercio electrónico, traducción, productos, entre otros. Con el dinero ganado, sepa cómo invertir en los mejores tipos de ingresos financieros. La combinación de estos factores te traerá la prosperidad financiera con la que siempre has soñado.

Hoy en día, tenemos la posibilidad de trabajar a través de Internet, lo que era imaginable hace décadas. Hoy en día, el empleo tradicional está perdiendo cada vez más espacio frente a los emprendedores de Internet. Pero también es una inversión arriesgada. No hay estabilidad en los negocios de Internet. Por lo tanto, a veces es mejor mantener el trabajo tradicional mientras no podemos sobrevivir con los alquileres de Internet.

Vale la pena tener hijos, pero solo para aquellos que tienen suficiente dinero y tiempo

Uno de mis sueños era tener hijos. Durante mucho tiempo en mi vida, quise tener hijos. Pero no fue posible debido a varias cosas. Así que decidí no tener hijos y ser soltera. Me preocupo por mi vejez. ¿Quién cuidará de mí? Pero no me voy a preocupar en este momento. Todavía soy un adulto joven, solo tengo cuarenta. Todavía queda mucho tiempo antes de que envejezca.

Mientras no sea viejo, voy a disfrutar de mi vida lo mejor que pueda. Por el momento, mi trabajo es solo en casa, y he estado saliendo poco. Por lo general, mi hermana es la que más sale. Va a comprar en la ciudad con el dinero que le doy. No voy a fiestas porque todas llegan demasiado tarde, y no puedo perder el sueño por el problema psiquiátrico que tengo. Si pierdo una noche de sueño, me lastimo mucho. Entonces, mi rutina es bastante monótona. En cuanto a viajar, no hago muy pocos. La mayoría de los viajes que hago son cerca, a casas de familiares. ¿Por qué viajo tan poco? Porque no tengo coche y no quiero molestar a otras personas. En mi región, las agencias de viajes no hacen turismo a menudo. Por eso no viajo.

Estamos en el viejo París. Divino y su grupo se enfrentan al gran invierno local. Al atardecer, están extasiados al ver varias naves espaciales alienígenas descendiendo del cielo. Uno de los extraños viene a su encuentro.

Ingino

Soy un extraterrestre. Vengo en una misión de paz. ¿Quién eres?

Divino

Mi nombre es divino. Soy escritor y funcionario. Soy escritor desde hace diecisiete años y funcionario desde hace quince. Son dos grandes paseos separados. Mi meta como servidor público es cumplir mi función social con el público. En este camino como servidor público, he ayudado a miles de personas a tener sus derechos. En cuanto a la escritura, escribí la serie de videntes, libros de autoayuda, religión y sabiduría. Mi objetivo es aportar conocimiento y dejar mi huella en el mundo. Gracias a mi padre, soy feliz en ambas actividades.

Guardián de la montaña

Soy el espíritu ancestral de la montaña sagrada de Ororubá. Mi objetivo es instruir a los jóvenes en todo lo que la espiritualidad pide. Fui la primera maestra de la vidente, y estoy conectada a su trabajo en la literatura hasta el día de hoy.

Beatrice

Soy compañera de escuela de la vidente y maestra de la religión Wicca. A través de los libros, puedo mostrar un poco de lo que sé sobre el mundo. He hablado un poco de todo, y me encanta ser parte de historias tan constructivas.

Renato

Soy el mejor amigo del psíquico. Desde la primera aventura, que fueron las fuerzas opuestas, me destaco en la resolución de problemas difíciles. ¿Qué bien nos trae?

Ingino

Excelente elección de terrícolas. Te elijo para enviar un buen mensaje al mundo. Estamos vigilando la tierra. Por favor, cuida mejor el planeta. Nos estamos dando cuenta de que los recursos naturales están siendo destruidos de una manera irracional. Si continúa a este mismo ritmo, tendremos grandes retrasos para la Tierra. Mientras el hombre no se dé cuenta de la importancia del planeta tierra para su propia supervivencia y adopte el desarrollo sostenible, el mundo caerá cada vez más en descrédito.

Divino

¿Qué debemos hacer?

Ingino

Sé racional. No pienses solo en el dinero. La verdadera riqueza son los recursos naturales. Mientras no se den cuenta de esto, el mundo no tendrá esperanza.

Divino

Yo hago mi parte, pero no tenemos poder de decisión sobre la colectividad mundial. Solo los grandes hombres podrían cambiar eso en el mundo, pero no quieren. Prefieren satisfacer sus deseos de hacer crecer la economía que cuidar del mundo. Esa es la gran realidad.

Ingino

Por lo tanto, el destino de este mundo es el caos.

El alienígena subió a la nave y sobrevoló todo el lugar. De repente, desaparecen en el horizonte sin dejar rastro. Fue otro intento fallido de detener el desarrollo. Es una vergüenza para el mundo.

¿Podemos tener una sexualidad sana y ética?

¿Puedo hacer algo con respecto a mi sexualidad? Enlatar. Pero no todo me conviene. Hay algunas cosas terribles que simplemente se salen de mi ética. No acepto ni participo en: traición, pedofilia, zoofilia, relaciones con familiares, estar con un hombre casado, entre otras cosas tristes. Prefiero hacer lo correcto y tener la conciencia tranquila.

Por mucho que no gobiernes tu corazón y te enamores de un hombre casado, no es ético involucrarte con él. Son estas acciones las que no están bien vistas a los ojos de Dios. Por lo tanto, prefiero estar bien con mi conciencia y mi relación con Dios también es especialmente importante.

Es cierto que me he enamorado de la persona equivocada varias veces y eso solo me ha traído daño. Pero eso sucedió cuando yo era increíblemente joven. Fue una época de aprendizaje en la que me fui descubriendo como ser humano. Cometer errores es común. Todos pecamos. Permanecer en el error es esa gran estupidez.

¿Es posible tener el amor de un hombre rico con un hombre pobre?

Todo es posible en esta vida. Pero en ese caso, es bastante improbable. Hoy en día, el mundo es muy materialista. La gente se está acercando entre sí con interés financiero. Así que tenga cuidado de no caer en un fraude financiero.

Es por eso por lo que tanta gente no confía en él. Prefieren relacionarse con personas de la misma clase social. No ves a una actriz casarse con un albañil, ¿verdad? Vemos que las actrices se relacionan con cantantes, directores o managers. Entonces, esto se llama citas con la misma clase social.

Muchas personas adineradas experimentan soledad debido al miedo de perder su riqueza a manos de los demás. En mi opinión, tienen toda la razón. Cuando no conocemos a alguien profundamente, es mejor estar en el lado seguro. A veces, estar solo es la única opción para aquellos que no quieren correr riesgos innecesarios.

Tener una dieta saludable es esencial para la salud

Tengo una dieta particularmente buena. También hago ejercicio, trabajo los tres turnos y viajo poco por no tener coche. Es como me dijo una vez un médico: para vivir bien y sin enfermedades, el cincuenta por ciento depende de tu dieta y el cincuenta por ciento depende de tu genética.

Hacer ejercicio regularmente también es particularmente bueno para el cuerpo. Haz al menos treinta minutos de ejercicio al día. Si puedes, ve también al gimnasio. También haz consejería psicológica y ten un buen amigo con quien desahogarte. La salud del cuerpo depende de la mente.

Tengo cuarenta años y no tengo ningún problema de salud importante debido al cuidado de mi cuerpo. Así que, si quieres estar sano, no vayas por ahí comiendo todo lo que quieras. Piensa en lo que es malo para ti y evítalo. Coma alimentos saludables y viva más tiempo con amor y salud en los años venideros.

No te entristezcas por las decepciones y los fracasos de la vida. Existen para agregar experiencia a tu currículum. Levanta la cabeza, reforma tus metas y ve a la lucha. Mientras haya esperanza, creeré en mis sueños.

Siempre he querido hacer la película de mi vida. Así que envié mis guiones a productoras que lo rechazaron. Estaba bastante triste, pero no me rendí. Así que compré un programa de animación e hice la película. Aunque no obtuve ganancias económicas con mis películas, cumplí mi sueño de convertir mis historias en algo real. Por lo tanto, no se trata simplemente de dinero. A veces nuestra satisfacción no es financiera. A veces somos felices por el simple hecho de alcanzar sueños y eso es algo que nadie nos puede quitar.

También fui compositor durante dos años. Soy poeta. Eso me facilitó la tarea de escribir algunas canciones. Grabé una veintena de canciones independientes. Pero como también me costaba dinero y ningún retorno financiero, me di por vencido. Tener una canción grabada por un cantante famoso es extremadamente difícil. Pero cumplí mi sueño de tener mis canciones grabadas.

Empecé a escribir de nuevo después de mucho tiempo. Como sabes, escribir es una actividad que requiere mucha dedicación, inversión, y tenemos poco retorno económico. Por eso dejé la literatura varias veces. Pero como ahora estoy trabajando de forma remota, tengo más tiempo para escribir. Encontré en la literatura una gran terapia y que me ayuda a pasar el tiempo. No voy a dejar de escribir más. Me siento particularmente bien en esta actividad.

La ansiedad es un tipo de enfermedad que nos afecta a veces. Se caracteriza por nerviosismo, inquietud, pensamientos sobre el futuro, preocupaciones, tristeza. Fui atacado por esta enfermedad, pero resistí con valentía.

¿Cómo resistí la ansiedad? Tenía mucho control emocional. A pesar de que todo mi cuerpo quería ceder a la enfermedad, resistí valientemente. Entonces, me calmé, superé todo el miedo y crecí en mi emoción. Cuando somos líderes de nosotros mismos, no tenemos nada que temer. Cuando somos maduros y experimentados, tomamos el control de nuestras vidas de una manera particularmente efectiva. Así que me convertí en un verdadero ganador, con mis propias posibilidades.

¿Por qué no deberíamos tener miedo? Porque somos adultos, capaces de resolver cualquier problema. Incluso con algo de miedo, hazlo. Te sorprenderás de las maravillas que es capaz de hacer. Entonces, los desafíos son muy grandes, los peligros son aún mayores, pero desata esa fuerza que tienes dentro de ti, y todo estará muy bien. Cree siempre en ti mismo y en tu capacidad. Eres un verdadero ganador.

Niñez

Se celebró una reunión entre Hermes y sus padres. El objetivo era definir su futuro.

Hermes de Fonseca

¿Cómo fue su experiencia en la guerra del Paraguay?

Hermes Ernesto de Fonseca

Fue una experiencia maravillosa. Fui increíblemente feliz en la guerra del Paraguay. Junto con mis soldados, ganamos varias batallas memorables. Aunque perdimos a varios compañeros, terminamos victoriosos. Eso es lo que me enorgullece: defender a mi país con fuerza, determinación, lucha y dedicación como debe ser.

Hermes de Fonseca

¿Crees que debería estar en el ejército? ¿Qué razones tendría para ello?

Hermes Ernesto de Fonseca

Me gustaría que siguieras mi ejemplo. Nuestro país necesita jóvenes valientes como ustedes. También necesitamos políticos comprometidos para el mejoramiento del país. Pero la elección es tuya.

Hermes de Fonseca

¿Qué te parece, mamá?

Madalena Fonseca

Ojalá fueras un trabajador común. Los militares son peligrosos, y tampoco me gusta la política. Pero lo que tú decidas me parece bien.

Hermes de Fonseca

Ya lo he decidido. Voy a matricularme en una escuela militar en Porto Alegre. mi misión es contribuir a un Brasil mejor. Perdóname, mamá, entiendo tu preocupación. Pero la sangre de mi padre corre por mis venas y no rehuiré la lucha. Quiero hacer historia en Brasil.

Madalena Fonseca

Así que tienes mi bendición. Que Dios te proteja y te guarde de todo mal, hijo mío. Ven a visitarnos de vacaciones. Te queremos mucho.

Hermes de Fonseca

Iré tan a menudo como sea posible, mamá. Voy a Porto Alegre la semana que viene. Estoy de muy buen humor para encontrar mi destino. Que Dios nos bendiga en esta trayectoria.

Hermes Ernesto de Fonseca

Tómatelo con calma, hijo. Enviaré recomendaciones especiales para que el coronel se ocupe de usted. La vida militar es buena, si se maneja profesionalmente. Ustedes son nuestro orgullo, hoy y siempre. Buen viaje y buena suerte.

Hermes de Fonseca

Gracias, papá. Recordaré todos sus consejos cuando esté en la escuela militar. Prometo que me esforzaré por ser un gran militar. Haré que mi Brasil se sienta orgulloso a través de mis grandes logros. Puedes esperar.

El chico estaba increíblemente feliz con su decisión en la vida. Era un joven amable, guapo y amable con la gente. Sería un gran militar, sin duda. Solo necesitaría la formación adecuada. Que Dios bendiga tu carrera y tus sueños.

En la escuela militar de Porto Alegre

Entrevista de ingreso

General

¿Quieres decir que eres el novato? ¿Cómo se llama y de dónde viene? ¿Por qué elegiste una carrera en el ejército?

Hermes de Fonseca

Mi nombre es Hermes de Fonseca. Vengo de la ciudad de São Gabriel. Mi padre era un gran militar. Por lo tanto, también quiero seguir esta carrera inspirada en él.

General

¿Cuáles son tus principales cualidades?

Hermes de Fonseca

Soy dedicada, comprometida, trabajadora, asidua, respeto la jerarquía. Soy amable, generoso, educado, servicial y comprensivo. Quiero crecer en el ejército y convertirme en un gran hombre.

General

Particularmente bueno, joven. Pero sepa que estar en el ejército no es nada fácil. Tienes que conocer las reglas y seguirlas. No queremos jóvenes subversivos. Queremos a alguien que quiera algo más. También necesitamos guerreros para defender a nuestro país de los extranjeros. Necesitamos personas valientes que transformen el mundo.

Hermes de Fonseca

He tenido más que suficiente de eso. Tengo sangre militar. Quiero aprender todo lo que necesito. ¿Me enseñarás?

General

Estás hablando como a mí me gusta. Estoy aquí para ayudar a todos. Impartiremos clases específicas para tu desarrollo y el de otros jóvenes. Sé un joven diligente en tus estudios y tendrás un futuro brillante. Verás, te estamos abriendo las puertas del colegio en honor a tu padre. No nos defraudes.

Hermes de Fonseca

Te prometo que haré todo lo posible. Aprenderé todo lo necesario para convertirme en un gran hombre. Créeme, soy tu mejor opción.

General

Muy bien. Gustó. Que así sea. Bienvenidos a la escuela militar de Porto Alegre. Haz un uso efectivo de ella.

El general se retiró por un momento, haciéndole señas para que lo siguiera. Llevó al muchacho al cuartel, donde los esperaban otros tres jóvenes. Ese fue el comienzo de una de las más bellas carreras militares.

Hablar con otros residentes

Hermes de Fonseca

Mi nombre es Hermes. Vengo de San Gabriel. ¿Cómo se llaman y de dónde vienen?

Pedro Ballestero

Mi nombre es Pedro. Vengo de São Borja. Soy hijo de agricultores, ricos caficultores de la región.

Conrado Rodríguez

Mi nombre es Conrad. Soy de Porto Alegre. Mi familia también es tradicional. Somos comerciantes ricos.

Kelvis Valadares

Mi nombre es Kelvis. Soy hijo de una sirvienta y un conserje. Me encontré con un militar en la calle que me dio esta excelente oportunidad. Estoy agradecido de estar aquí.

Hermes de Fonseca

¿Qué los trajo aquí? Admiraba a mi padre, que también era militar de carrera. También quiero ser político y cambiar nuestro país para mejor.

Pedro Ballestero

También fue por deseo de mi padre. Quiere a través de mí tener más influencia en la élite nacional. Yo también tengo curiosidad por eso. Por eso estoy aquí.

Conrado Rodríguez

La que más me influyó fue mi madre. Ella dice que tengo un don para las cosas. Así que yo creí eso, y estoy aquí con ustedes. Espero ser un buen compañero de cuarto.

Kelvis Valadares

En mi caso, fue la necesidad económica. Viví una vida llena de miseria antes de venir aquí. Así que este es mi último intento de prosperidad.

Hermes de Fonseca

Muy bien, muchachos. Bienvenidos todos. Apoyémonos en este período de estudio militar. Quiero que seamos amigos, compañeros de estudio y de vida. Necesitamos fortalecernos para enfrentar todo esto, lo cual no es fácil. Pienso en las comodidades y en los resultados futuros. Que la competencia y la suerte nos abracen a todos. Realmente encantado de conocerte.

Los chicos se abrazan e intercambian buena energía entre ellos. Era el comienzo de una nueva historia, una que podría ser una parte hermosa de sus vidas. La carrera militar fue desafiante, pero pudo tener ricos momentos de aprendizaje. Así que deja que cada uno de ellos lo aproveche al máximo.

Sus estudios en el colegio militar

Maestro

Bueno, les voy a explicar cómo funciona el régimen militar. En las fuerzas armadas, buscamos jóvenes valientes y visionarios que estén dispuestos a luchar por el país. Proteger los intereses de la nación a costa de la propia vida. ¿Estás dispuesto?

Hermes de Fonseca

Tengo mucho coraje. Soy hijo de un militar retirado y de él aprendí valores invaluables de honestidad. Llegué a ser militar y político. Espero contribuir mucho al mejoramiento de nuestro país.

Pedro Ballestero

Quiero estar en el ejército porque me dará poder e influencia. Esto ayudará al negocio de mi familia.

Conrado Rodríguez

Creo que tengo vocación de estar en el ejército. Quiero arriesgarme con esto y ver si realmente me gusta. Me va a encantar tener este proceso de enseñanza y aprendizaje.

Kelvis Valadares

Este es el trabajo con el que siempre he soñado. Quiero dar consuelo a mi familia, quiero convertirme en un hombre honesto, digno de confianza y verdadero. Quiero ser feliz en mi carrera profesional.

Maestro

Sus respuestas fueron geniales. Pero lamento decirte que tienes una visión equivocada de estar en el ejército. Estar en el ejército es más que una vocación, es una entrega completa al destino de la nación. También requiere dedicación y con poco retorno económico. No somos ricos. Por los servicios que prestamos, ganamos extraordinariamente poco. Pero exigimos respeto y aprecio por la carrera. Somos el orgullo de Brasil. Que ustedes, jóvenes, sepan entender que el futuro del país está en nuestras manos. No nos defraudes.

Hermes de Fonseca

Somos conscientes y estamos de acuerdo. Puedes confiar en nosotros. Sigamos adelante en este curso militar que promete mucha emoción. Gracias por las palabras.

El profesor abraza a los alumnos y ellos celebran rápidamente. Con la medida adecuada, crecerían en conocimiento y motivación. Serían cuatro años de un largo curso de aprendizaje militar. Que las bendiciones de Dios caigan sobre él.

Historia final

Hermes de Fonseca completó el curso militar y siguió una carrera en el ejército. Participó en campañas militares y conflictos como la revuelta de la marina. Llegó a ser político ocupando los siguientes cargos: ministro de Guerra y presidente de la República. Como presidente, tuvo que controlar la economía, resolver conflictos y hacer crecer el país. La historia considera que su mandato como presidente fue un gran avance en Brasil. Hermes de Fonseca es uno de los presidentes más populares en la historia del país.

Tener dinero es bueno. Es necesario comprar alimentos, pagar las cuentas del hogar, viajar, vestirse y vestirse, tener buena salud y educación, en fin, el dinero es esencial para tener una vida digna. Pero cuando pensamos en la felicidad, que es un estado de ánimo, podemos decir que el dinero compra comodidad, pero no trae felicidad. Un ejemplo de esto es que encontramos familias infelices en mansiones y a veces encontramos familias felices en casas de madera.

Mientras que pocos tienen miles de millones o millones de dólares, pero no hacen mucho por el mundo, tenemos miles de héroes como limpiadores, enfermeras, maestros, que ganan poco dinero, pero tienen mucha felicidad. Así que, aférrate a lo que eres y sigue adelante. Tu familia estará orgullosa de ti por lo que representas para ellos. Nuestra familia nos ama y nos apoya en cada paso del camino.

Soy feliz en mi pobreza y en mi fealdad. Estoy feliz de ser del nordeste de Brasil y de ser homosexual. Estoy feliz de ser cristiano, pero respetando todas las creencias. Soy feliz por el simple hecho de existir. Amo tanto a Dios y todo lo que él representa en mi vida. Me quiero mucho y no acepto migajas de emoción. Amo a mi prójimo y solo quiero lo mejor para las personas. Por lo tanto, sé el agente del bien para hacer del mundo un lugar mejor.

Vivimos en una dualidad política: izquierda y derecha. También vivimos en una dualidad social: pobres y ricos. Estos conflictos son de gran magnitud debido a la desigualdad económica en la que se ha sumido el país. Mientras los pobres se multiplican, la riqueza de las élites se triplica.

Estoy del lado de los pobres que son mi origen y mi condición social. Necesitamos alimentos baratos, más empleos, menos inflación, menos impuestos, más distribución del ingreso, menos corrupción y más caridad. Qué lástima que Brasil no esté avanzando.

En lugar de que todos crezcan juntos, hay una rivalidad entre ricos y pobres en el país. Mientras los ricos quieren hacerse cada vez más ricos, no hay oportunidad para que los pobres crezcan económicamente. El resultado son políticas de bienestar que no resuelven el problema. ¿Dónde está la verdadera solución para Brasil? Nadie lo sabe. Solo sabemos que Brasil es una de las economías más grandes del mundo, pero no hemos logrado un desarrollo que le haga justicia. Y así, pasan las décadas sin una mejora efectiva. Deseo que Brasil prospere para que algún día podamos llegar a un escenario de primer mundo. Para ello, necesitamos más recursos para la educación, la salud, la seguridad y la cultura. Un pueblo sin cultura es un pueblo sin alma.

Soy una persona sin amigos, pero con una gran autoestima.

No tengo amigos. De hecho, los únicos amigos que tengo son Dios y mi familia. Pero fuera de mi familia, no encuentro ningún apoyo. Esto es algo que ya me deprimía cuando era joven, pero ahora que tengo cuarenta, me parece algo sin importancia.

La vida me ha enseñado mi valor incalculable. La vida me ha enseñado que puedo vivir solo. ¿Duelen las decepciones? Duelen mucho. Pero nadie muere de amor. Es más fácil morir de hambre que morir por falta de amor. Por lo tanto, prioriza siempre tu vida profesional. Ese es el consejo de un adulto que ya tiene cuarenta y tantos años.

La vida me mostró un camino. Un camino solitario pero seguro. Al menos sé que no me matarán por celos o por dinero. Estar soltera es una gran bendición en mi vida. Me siento bien estando soltera, pero no digo que no quiera amor. Si el amor sucede en mi vida, tal vez lo abrace. Pero, ¿cómo encuentro el amor si paso la mayor parte del tiempo en casa? Casi imposible, ¿no? Por lo tanto, no pienso demasiado en ello, así que no creo ilusiones ni me deprimo. Prefiero trabajar con la realidad, por difícil que sea.

La literatura es mi gran terapia y desahogo. Con la escritura, exorcizo todos los malos pensamientos. Me encanta escribir y quiero seguir escribiendo mientras tenga aliento de vida. Si no fuera por la escritura, habría caído en una gran depresión. Por lo tanto, estoy increíblemente agradecida por lo que la escritura representa en mi vida.

Deja de pensar en las posibilidades. El mundo pertenece a los que actúan. Si no actúas, nunca sabrás si va a funcionar. Siempre estoy buscando el método de intentarlo, lo intento hasta que consigo lo que quiero, y ha tenido un éxito fenomenal.

Tengo un amigo que es extremadamente negativo. Le he estado dando consejos, pero ella la ignora diciendo que no cree que funcione. Entonces, pronto se da por vencida sin siquiera intentarlo. Esta actitud es típica de los perdedores. A veces puedo fallar, pero fracaso al intentarlo. Haz esto también en tu vida.

Hay algunas personas que se quedan atascadas en la vida debido a la falta de coraje, la timidez y la falta de seguridad. Todo eso es una tontería. Son disparadores mentales para aquellos que no tienen experiencia. Haz lo que yo hago. Cuando me gustaba un chico, me acercaba a él y le preguntaba si me quería. La respuesta fue una decepción, pero no me arrepiento. Era la única forma exacta en que podía saber eso de él.

Entonces, ¿por qué tener miedo a un rechazo? La vida se compone de respuestas negativas y positivas. El miedo a intentarlo solo se interpone en el camino. El miedo a equivocarte y decepcionar te impide alcanzar la felicidad con la que siempre has soñado. No cometas más ese error. Inténtalo de nuevo hasta que lo consigas. Nadie está realmente preparado para el futuro. Así que no te obsesiones con eso.

Qué rápido pasa el tiempo, ¿no? Cosas que hacíamos no hace tanto tiempo, a veces ya tienen diez años. El tiempo transcurre inexorablemente hacia el final. Entonces, ¿por qué perder el tiempo con los demás, con las opiniones de otras personas o posponer los sueños? Vive en el presente. Prepárate para el futuro, pero vive. El tiempo es como el reloj; no vuelve atrás. Así que, para no arrepentirte después, haz realidad tu sueño ahora.

Corre tras tu sueño, cree que es posible. No escuches a las personas negativas que te menosprecian. Eres especial y muy querido por Dios. Todo se hace de acuerdo con la voluntad de Dios en tu vida. Olvídate de toda la vergüenza, prepárate para un futuro mejor y sé feliz. Vive cada momento intensamente.

Sé paciente para superar situaciones de crisis

¿Algo te dolió mucho? ¿Algo te ha dolido demasiado y te ha hecho enojar? ¿Cómo convivimos con el dolor que nos duele a diario? Supérelo. Analiza la situación, haz una salida y ve a por ello. Lo mejor es tomar un nuevo rumbo y una actitud de condescendencia. Recuerde la importancia de su psicología.

He tenido grandes rupturas de armonía en la escuela, en el trabajo y en mi propia familia. Todo esto me llevó al caos personal. Fue doloroso, desafiante y humillante. Fui perseguido por ser pobre, homosexual y feo. Simplemente no cumplí con los deseos de la gran mayoría de la población con la que entré en contacto. Pero me rebelé contra ella y me convertí en mi amor propio.

Son innumerables las cosas tristes que me han pasado. Podría haber caído en una profunda depresión, pero no lo permití.

Simplemente me negué a enfermarme porque tengo una gran fuerza dentro de mí. Viví mi libertad emocional y mostré mi experiencia. No fue nadie quien me dio mi valor. Yo era la que me afirmaba como la prioridad en mi vida. No importa que los demás no me amen. No importa lo que piensen o lo que la gente diga de mí. Tengo la madurez emocional para sentirme importante para el universo. Tengo preservada mi libertad de opinión y mi alegría. Todo vale la pena, solo tienes que quererlo.

La historia de Rosa

Rosa siempre ha sido una buena empleada. Era puntual, entregaba un trabajo decente, se hacía amiga de sus colegas. Pero mientras tanto, sus relaciones con la dirigencia eran difíciles. Era casi insoportable tener que vivir en el lugar de trabajo todos los días.

La relación con el jefe no fue nada fácil. Era un ambiente de persecución y pruebas. Era humillante que me dieran órdenes, que me ridiculizaran, que me juzgaran mal y que me amenazaran verbalmente. Era el terror vivir en la empresa con tan malos jefes.

No tuvo más remedio que seguir trabajando, ya que dependía económicamente de ello para sobrevivir. A pesar de que sufrió tantas dificultades, soportó todo en nombre de la supervivencia. Pero entonces viene la pregunta: ¿hasta qué punto vale la pena tolerar un ambiente laboral tan perjudicial para la salud mental?

¿Sería posible seguir sacrificando la salud mental por el dinero? ¿Cuánto tiempo soportaría esta situación? Es necesario considerar varios puntos relevantes: la situación financiera, las posibilidades de ascenso y mejora en el empleo, las posibilidades de cambiar de gerente, si es posible la conciliación. Quizás ser un profesional autónomo sería la salida.

Ser un profesional autónomo es un gran reto. Luchamos con la inestabilidad financiera, con la falta de clientes, pero tenemos más libertad sin demasiados cargos. Trabajar por cuenta propia es ser dueño de tu propio horario. Ser autónomo es ser libre de tener más calidad de vida, pero un poco menos de comodidad económica. Tenemos que analizar detenidamente el problema que hay detrás. ¿Qué es mejor para ti: ¿la estabilidad financiera de un trabajo, ser dueño de tu propio negocio o tener la libertad de trabajar por cuenta propia? La respuesta a esta pregunta depende de la situación de cada uno.

Pero, ¿estás realmente listo para dejar tu trabajo y vivir tu libertad? Esto es muy peligroso. No solo se deben analizar las implicaciones profesionales, sino también su calidad de vida y salud. Elegir el mejor para ti es siempre lo más recomendable en cualquier situación. Al elegirte a ti mismo, al priorizar tu situación personal, darás un gran paso hacia el éxito y hacia un buen futuro. Créeme, se avecinan muchas cosas buenas.

¿Por qué la gente no está preparada para escucharnos?

¿Cómo convivir con una situación complicada? ¿Cómo vivimos con un dolor que nos persigue? ¿Cómo mantener la paz emocional? A veces necesitamos desahogarnos con alguien. Sin embargo, ten mucho cuidado con quién compartes tus secretos. Es de suma importancia que seas una persona digna de confianza. Recuerda no tirar perlas a los cerdos.

Pero a menudo, cuando hablamos con alguien sobre nuestros problemas, se nos malinterpreta. Es como tirar palabras al viento. La persona no entiende tu punto de vista. ¿Por qué la gente no está dispuesta a escucharnos? Porque ellos mismos tienen sus propios problemas ocasionales. Es difícil tener que reconocer esto, pero el oído de nadie es orinal. Sin embargo, hay personas que están íntimamente conectadas con nosotros y nos sentimos libres de compartir nuestras inquietudes. Es con estas personas con las que debemos desahogarnos.

Desahogarse es liberador. Eso fue lo que lo salvó de un segundo episodio de depresión. Al contarlo, me deshice de una carga de responsabilidad, o compartí la carga con la persona que me estaba escuchando. Fue tan bueno que recomiendo a todos que lo hagan. Fue tan bueno que nunca más volví a tener depresión. Hoy, si soy una persona inteligente y emocionalmente desarrollada, les agradezco mi actitud de humildad. Cuando somos humildes, las puertas de la felicidad se abren para nosotros y todo está bien. Eso es todo. No importa lo difícil que sea la situación, piensa en positivo. Va a estar bien.

En muchas ocasiones, quise eludir la responsabilidad

Mi madre falleció y me quedé con la gran responsabilidad de mantener a mis hermanos enfermos o analfabetos. Todos los gastos de la casa recayeron sobre mí y eso me dejó en una situación complicada. Es duro para mí saber que hay personas que dependen de mí y que dependen de mi trabajo además de mí.

En muchas ocasiones, quise huir de la responsabilidad de la casa. Pero no puedo. Tengo que seguir trabajando las tres horas del día para satisfacer mis necesidades financieras. Me lleno de los cargos. Quería ser libre conmigo misma. Quería vivir mi sueño. Ojalá pudiera vivir de mi arte literario, pero no soy un escritor bien vendido. Soy un escritor independiente y desconocido. Recuerdo mi realidad todos los días y eso es lo que me motiva a quedarme en el trabajo.

Hay muchas personas con grandes responsabilidades. Hay muchas personas que son cabezas de familia con varias personas a las que mantener. ¿Crees que es fácil? Derecha. Vivimos en una montaña rusa en la que cada vez somos más exigentes. Pero, ¿el peso de la responsabilidad nos desequilibra mentalmente? Absolutamente. Es muy terrible tener estas obligaciones en la vida. Pero te sugiero que hagas una reflexión interna sobre lo que te hace sentir bien y lo que es importante para ti. ¿Ves cuál es tu destino y cuál es la mejor manera de cambiarlo? Pues no te límites a lo que la vida te ha impuesto. Busca siempre una alternativa que sea menos onerosa para ti. Busca tu paz y cordura principalmente, porque lo que cuenta en esta vida es estar bien contigo mismo y con los demás. Cree, entonces, que cosas mejores vendrán a tu vida. Cree en tu éxito porque tienes un inmenso talento con el que trabajar. Cree en el buen futuro prometido por Dios en toda su misericordia. Cree, sobre todo, en Dios, que es la fuerza poderosa que coordina el universo. Buena suerte para ti.

Era real: si no te buscaba, no se preocupaba por ti

Amaba a un compañero de trabajo. En los siete años que vivimos juntos en el trabajo, me pareció que le gustaba y se preocupaba por mí. Me dio señales de que me amaba, pero no lo asumió por sí mismo. Me moría de amor por él. Pero me hizo sentir increíblemente mal. Entonces, decidí unirme al trabajo remoto y ha pasado mucho tiempo desde que lo vi.

Han sido cuatro años de trabajo remoto y me siento curado de la sensación que tuve por él. Fue la gran salvación de mi vida. Por lo tanto, no quiero volver al trabajo presencial debido a eso y a los problemas personales que tengo con los compañeros de trabajo. He tenido muchos problemas en este trabajo que hago actualmente.

Después de cuatro años, nunca me ha buscado en mi casa a pesar de que sabe dónde vivo. Me aseguré de bloquearlo en las redes sociales, por mi paz y salud mental. Fue la mejor decisión que he tomado en mi vida. Hoy estoy muy tranquilo. Sin angustias, con una paz inconmensurable y sin pensar en pasiones. No quiero a nadie más en mi vida porque he tenido muchos desamores amorosos. Estoy bien estando soltera y quiero seguir así por el resto de mis días.

Grabé más de veinte canciones independientes, y me inspiró el sentimiento que tenía por él para escribir las canciones. Aunque todo había terminado, lo que quedaba de nuestra reunión en el trabajo eran estas canciones. En raras ocasiones, escucho estas canciones, y me hace mucho bien. Ese es el resumen de la historia de un amor verdadero que tuve en el trabajo. Eso será hace diez años. Qué rápido pasa el tiempo, ¿no? El tiempo pasa rápido para todos nosotros. Esto nos lleva a los puntos cruciales de nuestras vidas. Y construyen redes de conocimiento que hacen emerger sentimientos, palabras y acciones. Vivan todos los amores verdaderos.

La reconocida historia del periodista Brito

Conversación con papá en casa

Excelsior

Hoy es un día de alegría. Hijo mío, tienes dieciocho años. Es un honor para mí ser tu padre y haberte acompañado en estos dieciocho años de vida.

Brito

Gracias, papá. Terminé la escuela secundaria este año y ya tengo planes para mí. ¿Cómo me siento a los dieciocho años? Me siento un poco perdida en tantos temas personales y familiares. Eso es mucho en tan poco tiempo. Pero, ¿qué me dices, papá?

Excelsior

Te voy a inscribir en la escuela de periodismo. Y a partir de ahora, serás mi secretaria en el periódico. Necesito a alguien de mi familia cerca para administrar nuestro negocio. ¿Qué dices?

Brito

No lo sé, papá. Creo que es muy prematuro. ¿Estoy realmente listo para salir en el periódico? Hay muchas responsabilidades.

Excelsior

Por supuesto que puedes, hijo. Este talento viene de la sangre. Te voy a enseñar todo lo que necesitas para trabajar. No te preocupes por nada. Confía en mí.

Brito

Está bien, papá. Acepto el cargo. A partir de ahora, soy su secretario privado. Gracias por la oportunidad.

Excelsior

Así es como me gusta. A partir del próximo año, estará en la escuela de periodismo. Ya te he apuntado. Quiero ver a mi hijo brillar cada vez más.

Brito

Muchas gracias, papá. Pueden contar conmigo. Ahora, disfrutemos de mi fiesta de cumpleaños junto con nuestra familia.

Los dos salen de la habitación y van a encontrarse con la matriarca que estaba en la cocina. Celebran este evento con una torta de chocolate, bebida, bocadillos, comidas típicas y mucho baile. Fue un día que nunca olvidaré. En los días siguientes, comenzaría una nueva etapa en la vida del querido niño.

El primer día de trabajo

Era el comienzo de un nuevo día en el concurrido "feroz" periódico. El equipo de periodistas estuvo trabajando intensamente en las historias hasta que surgió una nueva historia urgente.

Excelsior

Te voy a mandar a hacer una entrevista en la Calle do Brás. Hay un enorme agujero en la calle lleno de aguas residuales y el gobierno no hace nada. Esto hay que denunciarlo. Sal y haz un excelente trabajo.

Brito

Está bien, papá. Voy a ir allí de inmediato. Os daré el material al final de la tarde.

Brito se apresura a salir del periódico. Al subir a su coche que estaba aparcado cerca, comienza su primer viaje hacia su primera entrevista de trabajo. Arranca el coche y se dirige hacia la derecha. En el ajetreado tráfico de São Paulo, intenta llegar a la calle designada lo más rápido posible. En el camino, experimenta intensas emociones individuales. ¿Qué pasaría en tu primer día de trabajo? ¿Funcionaría? No lo sabía, solo quería lanzarse como loco a esa cita que tanto amaba.

Pasan veinte minutos y completa una cuarta parte del viaje. Una vez más, tu corazón se acelera en busca de la inspiración adecuada para continuar. Estaba muy emocionado, lo cual era absolutamente normal. Qué bueno era sentir ese sabor de libertad y curiosidad que lo abrumaba por completo.

También prevalece el miedo a lo desconocido. ¿Cómo sería recibido? ¿Sería amistoso? La única certeza es que estaba preparado para lo que se le presentara. Sin importar los riesgos, quería ser la voz poderosa de su yo interior. Con eso, completa el ecuador. Moviéndose cada vez más lejos, se acercó cada vez más a su objetivo final.

¿Cómo estaba el estado de ánimo de aquel querido muchacho, el gran hijo del periodista Excelsior? Estuvo bien, con buenas posibilidades de hacerlo bien. Su espíritu travieso no dejaba de imaginar muchas situaciones que se desarrollaban en su mente. Pero no bastó con todo el cuidado para que esto no se convirtiera en un fiasco.

Girando a la izquierda, avanza unas casillas más. Poco después, completa las tres cuartas partes del curso. Ahora todo estaba muy cerca y no había forma de escapar. Tendría que enfrentarse a sus miedos, esforzarse por ser bien evaluado por su padre. Era todo lo que quería.

La última parte de la ruta se cubrió rápidamente. Al llegar al lugar de los hechos, se acerca a una señora, se presenta y le pide permiso para hacer una entrevista. Ella acepta, y todo comienza.

Brito

Señora Cleusa, ¿podría contarnos cómo empezó todo?

Cleusa

Fue una lluvia muy fuerte la que derribó este barranco. Desde entonces hemos llamado al departamento de limpieza de la ciudad, pero ha sido en vano. Se trata de un descuido que atenta contra la salud de la población. Mira cuántos insectos, cuántas cucarachas, cuántas ratas, se junta. Es una calamidad.

Brito

Es realmente traumático. Prometo ponerme en contacto con el departamento de limpieza. Tal vez cuando la prensa cubra la fecha límite, tengan miedo.

Cleusa

Ese es el objetivo. Queremos sensibilizar a las autoridades sobre nuestro problema. No más suciedad. Queremos una ciudad limpia que brinde salud a todos.

Brito

¿Qué más mejoras pides para tu calle y ciudad?

Cleusa

Hay mucha gente que pasa hambre. Pedimos canastas de alimentos para las familias más pobres. También pedimos más puestos de trabajo y más oportunidades para los jóvenes. Todos los que venimos de la periferia somos trabajadores. Tenemos ganas de trabajar. Pero parece que los empresarios nos excluyen.

Brito

Una forma de salir de esto es tener su pequeña empresa. Un ejemplo es vender paletas heladas, hacer dulces, hornear pasteles, limpiar, ser sirviente de un albañil, entre otras cosas.

Cleusa

Bien pensado. Empecemos a hacerlo y pongamos fin al orgullo de los empresarios. Tenemos que aprender a salir adelante, aunque sea con grandes dificultades.

Brito

La gente de la periferia es el orgullo de nuestro país. Hay grandes retos que afrontar, pero el pueblo es guerrero. Un espejo para muchos, los habitantes de los suburbios luchan por mejores condiciones de vida. Que el ayuntamiento mire con cariño a estas personas y atienda sus necesidades, que son muchas. Termino mi primera entrevista con muchas lágrimas, exigiendo una solución a los problemas. Despierta, Brasil.

Después de la entrevista, Brito volvió al auto y comenzó su viaje de regreso al periódico. Ahora era el momento de escribir la historia e imprimir en los periódicos la inercia del servicio público. Por un Brasil mejor y más justo para todos.

La primera clase de la escuela de periodismo

Brito y otros colegas están tomando clases sobre la noción de periodismo. Es tener un buen intercambio de información.

Maestro

El periodismo es la profesión más antigua del mundo. Comenzó con la necesidad de comunicar y contar historias. Después de la aparición de la escritura, se generalizó. Hoy en día, con el avance de Internet y la tecnología, tenemos noticias digitales todo el tiempo. La necesidad de información se ha vuelto demasiado grande.

Brito

Verdad. Trabajo en un periódico y las noticias salen todo el tiempo. El trabajo del periodista es seleccionar los mejores temas y áreas.

Daniela

¿Qué tipo de periodismo encontramos hoy en día?

Maestro

Tenemos buen periodismo y mal periodismo. El buen periodismo se ciñe a los hechos, mientras que el mal periodismo inventa cosas para crear controversia. ¿Realmente vale la pena llamar la atención del público? ¿Qué te parece?

Daniela

Depende. Pero creo que es terrible inventar cosas. Esto no es legal para el público e incluso puede dar lugar a demandas.

Brito

¿Qué opinas del periodismo político y del periodismo con personajes famosos?

Maestro

El periodista no puede ser parcial en política. Hay que trabajar con la verdad y los hechos. Por el bien de la comunidad, necesitamos un periodismo serio.

Daniela

Las personas famosas son el objetivo del periodismo porque son importantes en el contexto de los medios. Por lo tanto, es común tener muchas noticias sobre ellos. Pero realmente no es cómodo tener tu vida expuesta. Hay que tener mucho coraje.

Maestro

Es cierto, querido. Debemos tener cuidado con lo que decimos al público porque somos líderes de opinión. Necesitamos luchar por causas nobles, para que cada persona tenga acceso a la verdad. Esa es la razón del periodismo.

Todo el mundo aplaude y la conversación sigue siendo animada sobre cuestiones prácticas. Era apenas el comienzo de la escuela de periodismo, donde aprenderían a ser mejores profesionales. Buena suerte a todos ellos.

Era un día normal de trabajo en el "feroz" periódico. El equipo estaba inmerso en sus obligaciones hasta que sucedió algo terrible.

Excelsior

Me siento muy mal. ¿Podrías llevarme al hospital, hijo?

Brito

Por supuesto, papá. Déjame ayudarte a subir al coche.

Brito cargó a su padre moribundo hasta el auto. Luego comenzó a conducir el vehículo hacia el hospital de la ciudad. El padre ya se había desmayado en el asiento trasero del coche, lo que le aterrorizaba aún más. En su mente atormentada había el temor de que su padre estuviera a punto de morir. Era una posibilidad, pero no quería pensar en ello. ¿Quién piensa en la muerte? El universo nos estimula a creer en la vida, a entregarnos totalmente al amor, a luchar por nuestros sueños, a creer que los sueños son posibles. Esa es una historia increíblemente hermosa, hermosas ilusiones para alegrarnos el día. Pero la gran verdad es que día tras día, todos nos dirigimos a la muerte. Y la muerte nos alcanzará en algún momento. Pero lo bonito de la vida es no pensar en ella. Sin embargo, nos vemos obligados a pensar en ello cuando la muerte alcanza a uno de nuestros familiares. Es allí donde toda la pequeñez humana se revela a nuestros ojos. La verdad es que somos frágiles e imperfectos. La vida también es frágil. En un momento, gozamos de buena salud, estamos bien económicamente, pero al siguiente, nos enfermamos, tenemos problemas financieros, estamos tristes y estamos deprimidos. La vida es realmente una gran montaña rusa que siempre nos sorprende a cada momento.

Acelera un poco más la velocidad del coche debido a la desesperación de ver a su padre luchando por su vida. Su mente es bombardeada por imágenes de su infancia junto a su padre y su madre. Siempre fueron muy amables y considerados con él, a pesar de que a veces los metía la pata y los avergonzaba. Pero eso era normal. Era solo un niño en desarrollo tratando de entender su papel en el mundo. Y cada hijo admira a su padre. Estaba orgulloso de su padre, un gran periodista de São Paulo. Su padre era un referente en los medios impresos de la región. Su padre era considerado como un gran hombre. Esto se debió a su trayectoria en el periodismo y a su gran competencia como cabeza de familia, un hombre que priorizaba a su familia en todo momento. Viniendo de una familia establecida, el niño solo tenía que crecer y también llevarse bien en la vida.

Pero ahora luchaba por salvar la vida de su padre, porque creía que aún podían disfrutar de la compañía del otro por un poco más de tiempo. Pero eso estaba lejos de su alcance. Con un poco más de tiempo, llegan al hospital. El niño lleva a su padre a un consultorio y los médicos comienzan a tratarlo. Se queda en la sala de espera donde están otras personas.

Brito

Dentro de esa habitación, está todo mi tesoro. Fueron más de veinte años de convivir con un ser maravilloso. Fue con él que aprendí a disfrutar trabajando, a disfrutar estudiando, a ser honesto con la gente, a preocuparme por los demás, a ser un buen hijo. Entonces, es muy doloroso para mí estar en un hospital mientras él está en esa habitación sufriendo.

Enfermera

Lo entiendo, amigo. Soy enfermera desde hace más de veinte años. Aquí en el hospital hemos visto muchas cosas y nos hemos acostumbrado a la muerte. Pero cuando se trata de un pariente nuestro, lo sentimos. ¿Qué puedo decir en un momento tan difícil? Mucha fuerza, resiliencia y coraje para ti. Que pueda estar tranquilo. Aquí en el hospital haremos todo lo posible para salvar a su padre. Pero a veces no está en nuestras manos tomar esa decisión de vida o muerte. ¡Se ve bien!

Brito

Tus palabras me consuelan mucho. Necesito cualquier estímulo en este momento de duda e incertidumbre. Es increíblemente triste estar aquí, en un lugar donde muere tanta gente. Es increíblemente triste no estar con tu padre en el momento de dolor. Y lo peor de todo es que no puedes hacer nada por él.

Enfermera

Calma. Va a estar bien. Veré cómo está tu padre. Espera un momento.

La enfermera se levantó y fue a la habitación donde estaba el moribundo. Unos cinco minutos después, regresa a la sala de espera con el semblante cerrado. Con tristeza anuncia:

Su padre falleció. Tuvo un derrame cerebral y no sobrevivió a las complicaciones de la cirugía. Puedes ir y organizar el entierro. Mantén la calma. ¿Quieres un abrazo?

Brito

Querer. Eso es todo lo que necesito en este momento.

Ambos rompieron a llorar y llorar frente a todos. Fue el final de una carrera gloriosa, un gran hombre de periodismo. Una vez terminado el abrazo, el niño comunicará la pérdida a los demás miembros de la familia y preparará los preparativos para el entierro. Al menos tendría que haber tenido un entierro digno, porque había sido un gran hombre y profesional. Que Dios bendiga a todos los que sufren la pérdida de sus familias.

Excelsior fue enterrado durante un día entero en el edificio del periódico del que era fundador. Familiares, parientes, amigos, colegas y políticos influyentes asistieron a la ceremonia. Después de todos los homenajes, comenzó la procesión hacia el cementerio.

Brito camina al lado de su madre, que rompía a llorar. Necesitan hacer un esfuerzo intenso para caminar porque la tristeza es muy grande. Había estado caminando junto a ese gran hombre durante muchos años, y era su último adiós en la tierra. Una despedida dolorosa, pero con la certeza de que una misión se cumplió brillantemente.

Faltaban unos veinte minutos para llegar al cementerio. Antes de depositar el féretro en la tumba, escuchemos los últimos homenajes que se le rindieron.

Brito

Ese fue mi gran padre. Un gran periodista, un gran profesional, un gran hombre, un espejo para la vida. En estos veinte años que viví con él, tuve el placer de aprender de él lo que soy hoy: un joven dedicado al trabajo, honesto, comprometido con los demás, educado, cariñoso, cariñoso, amable y muy estudioso. Realmente me inspiró a ser una buena persona. Por eso te amaré por siempre, padre mío.

Rita

Fue mi esposo por más de treinta años. Fue un ejemplo de hombre honesto y comprometido con su familia. Durante todos estos años, me respetó y me mostró amor verdadero. Fuimos felices en cada uno de los momentos que vivimos juntos. Tuvimos a nuestros hijos, que hoy es nuestro mayor orgullo. Él será mi compañero en todo momento a partir de ahora. Vete en paz, gran hombre.

Mozart

Como representante de los periodistas de São Paulo, hemos venido a presentar nuestros últimos respetos a nuestro querido Excelsior. Fue una carrera increíblemente hermosa frente a varios medios de comunicación. Sus grandes reportajes de nogal hacían cuestionar el sentido de la justicia. Fue un hombre comprometido con las causas sociales, con los perseguidos y luchó por un Brasil mejor. Su carrera fue emblemática y nos contagió a todos, sus fans. Que descanse en paz, querido.

El ataúd desciende al agujero y se produce una lluvia de aplausos. Ahí va un gran hombre por la eternidad. Que los miembros de la familia pudieran superar esta pérdida y seguir adelante con la vida con la certeza de la eternidad. Que Dios lo acoja en su morada eterna.

Resumen final

La vida siguió y pronto la familia se recuperó de la pérdida del periodista. Brito comenzó a dirigir los periódicos como su heredero. Terminó la escuela de periodismo, se casó y se convirtió en un importante hombre de negocios en Brasil. Se convirtió en un gran ícono brasileño, respetado internacionalmente por el gran profesional en el que se convirtió. Brito fue uno de los grandes hombres de los medios nacionales.

Celebremos nuestras victorias, pero también recordemos que hay otros que sufren

Nuestra vida no se trata solo de nosotros mismos. Aunque a menudo pensamos individualmente, también debemos pensar colectivamente. Porque hay mucha gente sufriendo en este momento. Porque hay personas que apenas tienen para comer y no tienen a nadie a quien recurrir. Y es increíblemente triste pensar en eso y reflexionar sobre ello, pero es necesario. Sin duda, la vida no es una corona para todos.

Nuestros logros son merecidos. Son el fruto de un trabajo exigente, a menudo de años de trabajo. Celebra siempre lo que merecías ganar del universo. Pero no os olvidéis de los pobres. No olvidéis a los que sufren. No olviden a los mendigos, a los huérfanos, a las viudas, a los niños de la calle, a los sin techo, a los sin tierra, no olviden su promesa de mejorar el planeta tierra.

Trabaja para los que más lo necesitan. Trabajar exigiendo a los gobiernos un compromiso con las causas sociales. Trabajar como voluntario en causas sociales. Si puedes, dona una organización benéfica. Esto es bueno para nuestra alma y mucho más para los demás. Cuando realmente nos rendimos al universo, nuestra estrella brilla intensa y constantemente.

¿De dónde venimos? ¿Adónde vamos? ¿Cuál es nuestro futuro? ¿Desarrollaremos alguna enfermedad mortal? ¿Seremos felices en el amor? ¿Seguiremos en ese trabajo que tanto amamos? ¿Vale la pena tirar todo por los aires y hacer lo que nos gusta, aunque ganemos menos? ¿Alguna vez te has preguntado cómo surgió el universo?

No sabemos prácticamente nada. El hombre es pequeño y limitado. Nuestra vida solo tiene una razón de ser porque algo nos mueve: nuestros sueños. Es por nuestros sueños que seguimos viviendo y sobreviviendo a tantas tormentas e injusticias. Así que no te enorgullezcas de ninguna manera. La vida enseña a los arrogantes y los menosprecia en el momento adecuado. La vida enseña humildad y los grandes hombres alguna vez fueron muy humildes. Piénsalo: ¿quién eres tú para sentirte superior a los demás? No somos nada y venimos de la nada.

Porque somos pequeños, buscamos un refugio espiritual en la religión. Pero una religión que esclaviza y tiene prejuicios contra los menores no debería ser un ejemplo para seguir. Es mejor vivir sin religión que ser hipócrita con la gente. Entonces, ¿en qué religión creo? Creo en Dios. Soy un cristiano no practicante. ¿Por qué no practico? Porque creo que Dios está en todas partes y no necesito ir a un templo para adorarlo. Como no estoy de acuerdo con algunas cosas de la religión, prefiero ejercer mi fe en casa. Y tengo mis propias reglas que sigo. Aquí están mis treinta mandamientos: 1) Ama a Dios sobre todas las cosas, a ti mismo y a los demás.

2) Al no tener ídolos terrenales o celestiales, Yahvé es el único digno de adoración.

3) No pronuncies el santo nombre de Dios en vano ni lo tientes; Ni atormentar a los que ya los han estado invocando.

4) Reserva al menos un día de la semana para descansar, preferiblemente el sábado.

5) Honrar al padre, a la madre y a los miembros de la familia.

6) No matar, no herir a otros física o verbalmente.

7) No adulterar, no practicar la pedofilia, la zoofilia, el incesto y otras perversiones sexuales.

8) No robes, no hagas trampa en el juego o en la vida.

9) No dar falso testimonio, calumnia, difamación, no mentir.

10) No codicies ni envidies las posesiones de tu prójimo. Esfuérzate por alcanzar tus propias metas.

11) Sé sencillo y humilde.

12) Practica la honestidad, la dignidad y la lealtad.

13) En las relaciones familiares, sociales y laborales, ser siempre responsable, eficiente y asiduo.

14) Evite los deportes violentos y la adicción al juego.

15) No consumir ningún tipo de droga.

16) No te aproveches de tu posición para desahogar tu frustración en el otro. Respetar al subordinado y al superior en sus relaciones.

17) No tengas prejuicios contra nadie, acepta lo diferente y sé más tolerante.

18) No juzgues y no serás juzgado.

19) No seas quisquilloso y dale más valor a una amistad porque si actúas así, la gente se alejará de ti.

20) No desees el mal a tu prójimo ni tomes la justicia por tu mano. Existen los órganos apropiados para esto.

21) No busques al diablo para consultar el futuro o para hacer trabajo en contra de otros. Recuerda que todo tiene un precio.

22) Saber perdonar, porque quien no perdona a los demás no merece el perdón de Dios.

23) Practica la caridad, porque redime los pecados.

24) Ayudar o consolar a los enfermos y desesperados.

25) Ora diariamente por ti mismo, por tu familia y por los demás.

26) Permanecer con fe y esperanza en Yahvé independientemente de la situación.

27) Divide tu tiempo entre el trabajo, el ocio y la familia proporcionalmente.

28) Trabajar para ser merecedor del éxito y la felicidad.

29) No quieras ser un Dios sobrepasando tus límites.

30) Practica siempre la justicia y la misericordia.

Lo que creo es una combinación de los mandamientos de la Biblia y las buenas prácticas de una persona honesta. Así que eso es lo que básicamente me guía en los caminos de la vida. También respeto todas las creencias que existen en la tierra. Creo que la religión no define a una persona. Lo que define a las personas es el carácter. Lo que define a una persona es la caridad. Lo que define a una persona es la honestidad. Lo que define a una persona es el trabajo. Lo que define a una persona es la fe. Sé un gran apóstol del bien. Sé feliz con tus elecciones.

Las relaciones modernas de hoy

Las relaciones modernas han evolucionado. De lo que más se habla en estos días es de la relación triple, cuádruple y abierta. Pero, ¿eso hace feliz a la gente? Lejos esté de juzgarlo, pero soy de la antigüedad. Nunca estaría con más de un novio al mismo tiempo.

Soy de la época de las citas respetuosas, donde el sexo solo ocurría después del matrimonio. Soy de la época de las parejas de novios tomados de la mano, donde ambos se respetaban y eran felices. Pero mientras tanto, todo eso terminó hace mucho tiempo.

¿Qué pasa hoy? Tenemos la liberalidad del sexo, de la opinión, un conocimiento más amplio en el cortejo. Hoy en día, conocemos a una persona en profundidad sin dejar de salir. Y entonces podemos decidir terminar la relación o casarnos.

Solo sé que hay muchos divorcios en estos días, una señal de que la gente no eligió bien. Hoy en día, las relaciones son muy efímeras, lo que demuestra un poco de falta de amor. La falta de amor y empatía ha estado dañando las relaciones en grandes cantidades.

Qué difícil es relacionarse con personas con problemas

Hay personas con las que es difícil tratar. Hay personas que arrastran problemas psicológicos. Hay personas con esquizofrenia, autismo, bipolaridad. Todo esto puede ser un reto para aquellos que quieren relacionarse con ellos. Así que, si entiendes el problema, aguanta o enloquece.

Es tu elección meterte en problemas o no. Es tu elección vivir en el infierno o en el cielo. Es tu elección estar en el camino de la derecha o de la izquierda. Es tu elección vivir libre o comprometido. Por lo tanto, toma la decisión correcta de vivir bien contigo mismo, con Dios y con los demás.

No te subestimes. Eres particularmente bueno en lo que haces. Eres hermosa por dentro, por todas las obras de caridad que haces. Entonces, ¿qué pasa si fulano de tal es más bonito, más rico y atractivo? Es su problema. Sé feliz contigo y por ti, nadie paga tus facturas.

Siempre he pensado que soy el mejor en la escuela, en el trabajo, en mi familia y en mi vida personal. Siempre he sido mi mayor apoyo. Cuando quería escribir, mi familia me decía cosas negativas, pero no dejaba que mi sueño terminara. Seguí escribiendo, con toda la fuerza de mi alma. Hoy en día, tengo más de cincuenta libros publicados en más de treinta idiomas. Ya he llegado a alguna parte.

Por lo tanto, la vida es un gran camino que debes recorrer tú. El destino nos lleva rápidamente hasta el final, para una misión específica. Saber reconocer esto en la vida. Sepan trabajar para el bien y cosecharán grandes frutos.

¿Por qué se olvida a muchas personas cuando entran en la vejez?

La vejez es la última etapa de la vida de un ser humano. Es en esta etapa crucial cuando debemos valorar más a las personas. No se olviden de los ancianos, recuerden valorarlos, porque han trabajado y contribuido a un Brasil mejor durante mucho tiempo.

Valora a las ancianas. Lo más común es que los hombres prefieran a las mujeres jóvenes a las mayores. Es una lástima porque las ollas viejas son las que hacen la comida sabrosa.

Aprecia a los ancianos. Aprecia a todos los ancianos, porque necesitan mucha ayuda para vivir una vida plena. La vejez es un retrato del pasado. Se trata de personas que han vivido y contribuido a un mejor país y por lo tanto merecen la tan ansiada jubilación. Larga vida a todos los viejos.

¿Cuál es el adecuado para mí?

La persona adecuada para mí es la persona que se ajusta a mi proyecto de vida. Él es el que brilla, con defectos y cualidades, y el que te hace sonreír. Es fiel, cariñoso, cariñoso, sabe consentirme y se ve bien. Pero tal vez eso sea mucho pedir para un hombre. A veces es bueno conformarse con menos.

El hombre ideal es el hombre que te sorprende. Que es gentil, caballero en todas las situaciones. Quién abre la puerta del coche, quién levanta la silla en un bar, quién te regala flores y regalos en fechas especiales. El hombre gentil está en decadencia y es cada vez más raro.

Exija menos y obtendrá más. Espera menos y tendrás más felicidad y satisfacción. No exijas perfección, no existe tal cosa. Sé humano como todos los demás, sé fiel, sé agradable, cree en el amor hasta el final. Sigan adelante con sus sueños y que el Señor los bendiga.

¿Cuál es la importancia de la belleza en una relación?

La belleza exterior es algo que te llama la atención y te atrae en el primer momento de convivencia. Pero después de eso, lo que realmente cuenta es la belleza interior, el carácter, la bondad y la generosidad de la persona. Ninguna belleza externa es capaz de sostener la relación por mucho tiempo.

La belleza exterior se ha ido. Todos morimos y con ello la belleza desaparece con ella. Entonces, para permanecer en una relación con una persona, necesitas amar, tener afinidades. Por lo tanto, es totalmente posible que te guste lo feo si esa persona fea es una buena persona y te trata bien.

Pero, por desgracia, la apariencia es fundamental en el trabajo, en las relaciones sociales y para la sociedad en general. La gente admira y se siente atraída por los hermosos. Los que son feos, los que son pobres, los que son negros, los que son homosexuales, los que son transexuales, los que son mujeres, no reciben mucha atención. Eso explica el hecho de que a la edad de cuarenta años todavía no haya salido. No soy parte del estándar que le importa a la sociedad.

Pero, gracias a Dios, incluso sola, soy una persona increíblemente feliz. Tengo mi amor propio, tengo a mi Dios que me ama mucho, tengo a mi familia que es mi apoyo, tengo una fe y un discernimiento que me lleva al camino correcto. No me falta nada en mi vida. Y así, sigo con mi vida creyendo en días mejores. Vamos adelante, la gente viene detrás.

¿Cómo conseguir una buena relación?

¿Cómo puedo tener una relación próspera? ¿Cómo alcanzar el éxito profesional y amoroso? ¿Cómo sentirte bien contigo mismo y alcanzar la felicidad? Hay tantas cosas que analizar y reflexionar. Pero lo primero que te viene a la mente es que te aceptes tal y como eres, tengas estabilidad emocional, tengas amor propio y tengas un sentido de justicia y humanidad.

Todo lo que puedes hacer proviene de nuestras emociones. ¿Y cómo cuidamos este aspecto? Lo bueno es estudiar. Tener conocimientos generales, políticos, sociales, religiosos y filosóficos te da la oportunidad de tener una ventaja. Cuando somos dueños del conocimiento, cuando somos dueños de nuestro corazón y cuando ejercemos nuestra libertad de elección, tenemos la tríada necesaria para triunfar y ser felices.

Tener éxito es mucho más que tener resultados. Tener éxito es tener tu lugar en el mundo y ejercer tu ciudadanía plenamente. ¿Estoy satisfecho con lo que tengo y lo que he logrado en la vida? Si la respuesta es no, persigue tus nuevos sueños. Son nuestros sueños los que nos guían hacia un camino lleno de felicidad. Y nuestra felicidad personal tiene más que ver con nosotros mismos que con los demás. Si no estamos contentos con nosotros mismos, no podemos hacer feliz a nuestra pareja. Así que, primero, busca tu felicidad personal.

Demasiada vanidad nos perjudica

Los jóvenes son muy vanidosos. Son como locomotoras sin frenos que siguen su camino sin ningún control. Eso es lo bueno de la juventud. En la juventud podemos hacer cualquier cosa, no pensamos en las consecuencias de las cosas y vivimos la vida intensamente.

Era un joven rebelde y sensual. Era el chico al que le gustaba enseñar el a los demás, sentirse querido y querido. Esto sucedió en el desierto durante unos tres años. Después de eso, algo más elevado me despertó y me convertí en una persona sensata. Creé vergüenza en mi rostro y me convertí en el hombre con el que siempre soñé.

Padres, no se preocupen tanto por sus hijos. Están en la fase de descubrimiento y sexualidad; Todo es válido en este aprendizaje. Es normal que salgan a una fiesta y salgan con cinco chicas al mismo tiempo. Es normal que jueguen con los sentimientos de otras personas, pero también que se sientan extremadamente decepcionados. En esta difícil fase, intenta ser un canal abierto de comunicación con tu hijo. Necesitará tu consejo para caminar por el camino correcto. Tenga cuidado de no permitir que su hijo cometa un gran error.

Además, libera a tus hijos para que lleven una vida sana y sin grandes compromisos. Aprenderán por sí mismos cuál es la mejor opción para sus vidas ocupadas y deseadas. Y al conocer el camino correcto, les resultará más fácil crecer y desarrollarse. No practiques la vanidad. Sé humilde, sencillo, amable y generoso con todas las personas.

Las personas terminan las relaciones con la motivación de tener nuevas experiencias. ¿Qué pensar al respecto?

Déjalo ir. Nadie es dueño de nadie para interponerse en la vida de una persona. Pero si vas a ir, vete para siempre. No quieres volver porque eso es jugar con los sentimientos de otras personas. Volver con un antiguo novio es el mayor error que puedes cometer en la vida para tratar de compensar una posible necesidad emocional.

¿Cómo resolver una necesidad afectiva? ¿Cómo resolvemos la angustia de estar solos? Si se trata de la cuestión del sexo, sólo se resuelve con el sexo. Pero si se trata de una necesidad emocional, entonces tenemos que trabajarla en nosotros mismos para que seamos autosuficientes. Cuando nuestro amor por nosotros mismos es suficiente, no buscamos la felicidad en el otro.

Para tener una relación genuinamente feliz, necesito ser consciente de lo que quiero y deseo en la otra persona, para que complemente mis deseos y aspiraciones. Cuando somos complementados, sentimos una buena sensación de que tenemos una felicidad completa con nosotros. Verdad. Por mucho que tengamos amor propio, siempre nos falta algo. Lo que falta es una caricia, un abrazo, un beso de buenas noches, un intercambio sexual, una complicidad. Por lo tanto, la teoría del amor propio funciona, pero no está completa.

Hay muchos factores que atrapan a una persona en una relación problemática: desde la dependencia financiera hasta la emocional, el miedo a estar solo, el miedo a ser juzgado por otras personas y el miedo a la sociedad. Cualquiera que sea la razón que te mantiene en una relación sin salida, es hora de reaccionar.

Cura tu dependencia emocional. Vuélvete autosuficiente. Conviértete en un líder de ti mismo. Conviértete en el maestro de tus acciones y en el protagonista de tu historia. Con todo esto, tu mente se abrirá a lo que realmente te importa. Se trata más de ti mismo que de los demás.

Vuélvete financieramente independiente. Ir a la universidad, tomar cursos de calificación, tomar exámenes públicos, ingresar al mercado laboral. Cuando eres el dueño de tu independencia financiera, dependerás menos de los demás. Cuando tenemos un trabajo, cuando tenemos nuestra expresión artística, cuando tenemos nuestra individualidad y originalidad preservadas, cuando tenemos el coraje de tomar las decisiones correctas, tenemos todo para salir de una relación abusiva.

Preocúpate menos por lo que piensen los demás. Cuando pagamos nuestras propias facturas, nadie tiene derecho a opinar sobre lo que nos proponemos hacer. Así que siéntete libre de tomar las riendas de tu vida. Sé libre de recibir a tus amigos en casa, sé libre de viajar y tener tus encuentros amorosos, sé libre de tomar tus propias decisiones incluso si te equivocas gravemente. Es este aprendizaje el que te convertirá en una persona sabia.

En resumen, no permanezcas en una relación problemática por ningún motivo. Tu felicidad es más importante. Así que no hagas sacrificios por nadie porque no vale la pena. Ve a vivir tu vida mientras puedas disfrutar de lo bueno y lo mejor. Disfruta, porque la vida pasa increíblemente rápido.

¿Qué más te impide relacionarte?

Son sus actitudes. No siempre es culpa del hombre que no quiera prestarte atención. A veces, tú, con tu actitud negativa, alejas a la gente. A primera vista, nos damos cuenta de quién puede darnos afecto, atención, cariño o amor. No solo el exterior es importante, sino también la forma en que la persona te trata. Ahí es donde comienzan las relaciones.

Si quieres algo, hazlo. No te veas como el pobre cuento, queriendo impresionar a los demás. Sé tú mismo, sin tomarlo ni ponértelo. Me atraen las personas sencillas y verdaderas, al igual que la mayoría de los hombres. Lo más difícil en estos días es encontrar personas auténticas.

Priorízate a ti mismo en cada oportunidad. Nunca te canceles a ti mismo para complacer a los demás. Si la gente quiere quererte u odiarte, ese es su problema. Vive para ti y no para los demás. Ve siempre primero y exige lo mismo al otro. El amor que no es correspondido no vale la pena.

¿Funciona hacerse el difícil en una relación?

A muchas mujeres les resulta difícil aceptar a su pareja en una etapa temprana. Por mucho que quieran a este hombre, se hacen las difíciles para jugar como una especie de juego romántico. Después de unos días de pensarlo, finalmente aceptan la propuesta y el juego continúa.

Los hombres actúan de manera diferente a las mujeres. Los hombres siempre son fáciles de conquistar en el juego del amor. Pero cuando no quieren a la mujer, no tiene sentido insistir. Mi opinión es que debes tenerlo claro desde el principio. Esto evita sufrimientos innecesarios.

Somos actores en el gran teatro de la vida

Nuestra vida es una gran novela donde el autor principal es Dios. Como buenos actores, actuamos uno frente al otro en la vida. Hemos pasado por buenos y malos momentos, tristeza y alegría, pobreza y riqueza, salud y enfermedad, viajes y temporadas en casa. Nuestra vida es un gran aprendizaje y misión que vinimos a hacer en la tierra.

He aprendido mucho en cuarenta años de vida. Aprendí de mis experiencias, a ser una buena persona, a tener carácter, honestidad, a ser caritativa, amable y generosa. Es parte de mi vida: mi infancia en el campo, mi infancia leyendo libros, mi infancia estudiando, mi juventud en la universidad, mi juventud en el trabajo, mi juventud siendo rechazada por mis parejas amorosas, mi edad adulta siendo escritora y funcionaria, mi edad adulta siendo cabeza de familia.

Creo que todo estaba escrito. Pero se necesitó la llama de Dios para iluminarme, y tuve que tomar las decisiones correctas.

En el teatro de la vida, he experimentado un poco de casi todo lo que puedas imaginar. A los cuarenta años, soy una persona madura y dueña de mí misma.

En los cuarenta años transcurridos, he aprendido lo importante que ha sido Dios a lo largo de mi carrera. He aprendido que el amor de Dios es único, y esto me guía a un jardín de delicias. Todos mis oponentes caen al suelo porque me humillaron, porque se sienten superiores, porque tienen una posición más alta. A cada uno de ellos la vida ha pagado por su mala conducta.

Lo que he aprendido: No tenemos jefes en esta vida. Solo tenemos personas con una posición más alta, pero que no son dueñas del mundo. Por supuesto, el poder de un jefe puede incluso despedirte de tu trabajo. Pero no pueden quitarte la alegría de vivir y el talento. Nunca dejes que nadie deje de creer en tu potencial.

¿Qué quiero para mi futuro? Me gustaría quedarme en mi trabajo el mayor tiempo posible. El trabajo me ha dado muchos logros: he renovado mi casa, he ayudado a mucha gente, he ayudado a mi madre, he cumplido mi sueño de ser compositora, de ser cineasta y de ser escritora. Aunque tenía el don de escribir desde que tenía veintitrés años, solo con el poder financiero del empleo, pude publicar regularmente. Así que han pasado diez años en mi actual cargo público y ese siempre ha sido el trabajo que he querido, desde que estaba en la universidad. Pero no está en mis manos quedarme en el trabajo hasta la jubilación. Hay muchas variables sobre el empleo que pueden frenarme.

¿Qué quiero de mi literatura? Me gustaría continuar mi carrera literaria hasta que sea bastante viejo. Si quiero hacer esto, ¿mi profesión? Depende. Todavía no estoy seguro de poder hacer de la escritura mi principal fuente de ingresos, ya que no soy un autor bien vendido. Pero a pesar de todo, voy a continuar con mi literatura, aunque no sea a tiempo completo. Me encanta la literatura y me salva de la depresión, de la monotonía de la vida, de mis problemas. De todos modos, la literatura es una terapia particularmente buena para mí.

¿Qué pienso de mi futuro amor? En este momento, no estoy buscando a nadie. Vivo con una persona que es controladora, que no me permite tener relaciones. Entonces, si quiero quedarme en mi casa, debo someterme a sus órdenes. Y no puedo salir de casa, no tengo ningún apoyo fuera de casa. Es mejor estar en compañía de hermanos que estar solo. Últimamente, no he sido un gran creyente en el amor. Hoy en día, el interés financiero es muy grande, y no quiero caer en un fraude que me quitaría el poco dinero que tengo.

¿Cómo cuidar tu emocional?

Cuídate diligentemente. Haz tus mejores sabores. Si quieres probar algo y tu dinero te da, hazlo. No podemos dejar que los buenos frutos de nuestro trabajo se nos escapen.

Analiza tus actitudes. Vea dónde se equivocó o falló y corríjalo. Lo bueno de la vida es que puedes cambiarla infinitas veces si es necesario. Siempre existe la posibilidad de convertirse en una mejor persona. Convertirnos en una mejor persona es particularmente bueno para nuestra vida espiritual. Estamos aquí para evolucionar y ayudar a los demás.

Evolucionar. Piensa en lo que puedes mejorar y ve a por ello. No tengas miedo de evolucionar y convertirte en un tonto. Es mejor ser un buen tonto que una persona sin sentimientos. Es mejor ser bueno creyendo en las personas que cerrar el corazón al cambio.

Abre tu mente y tu corazón. Ayuda a los que realmente lo necesitan. Hay muchas organizaciones que ayudan a los desfavorecidos y tú podrías ser parte de ellas. O podría ayudar a las personas de su vecindario que necesitan una canasta de alimentos por su cuenta. Es sencillo, pero no todo el mundo lo hace.

Amar al prójimo es respetarlo. Amar al prójimo es preocuparse por él, pero sin entrometerse en su vida personal. Amar al prójimo es perdonarlo tantas veces como sea necesario. Amarse a sí mismo es perdonar al prójimo, pero sin tener que vivir con él.

¿Cómo sé que amo a mi prójimo? Cuando no tenga ningún prejuicio o discriminación. Cuando amo a los negros, a los homosexuales, a los transexuales, a los huérfanos, a los niños de la calle, a los mendigos, a los pobres, a los feos, a las mujeres, soy diferente de la sociedad. Lo importante es entender que todos somos iguales, nadie es mejor que nadie.

Amar es dar, es entrega, es liberación. Amar es ponerse en el lugar del otro. Amar es romper barreras. El amor dice más de nosotros que de los demás. Te doy mi paz, yo soy la paz. Créeme, el que salva a todos. Yo soy el verdadero amor y el verdadero alimento para todos.

El hombre fue creado para actuar cooperativamente. Con cada buena acción, sofocarás tu propia oscuridad y tendrás un amplio camino por delante. Aunque nadie te anime, recuerda que hay un padre creador que te admira y te apoya.

¿Cuál es la importancia de hacer el bien? ¿Cuál es la importancia de ser un agente de cambio? Al ser una fuente de cambio, comenzamos a actuar activamente en la vida. Es malo dejar pasar la vida sin acción, es como aceptar que una energía te domina por completo. Pero no. Podemos y debemos ser dueños de nuestro propio destino.

¿Qué es el destino? Es una energía del universo que te ayuda a hacer realidad tus sueños. ¿Podemos cambiar el destino? Por supuesto que podemos. Nada es irreversible. Nada está estancado. El universo es puro movimiento, y nosotros somos pequeñas piezas de una partida de ajedrez. Sé un jugador talentoso.

¿Qué significa ser un jugador talentoso? Es ser un estratega. Es saber que todo tiene el momento adecuado para suceder. Es saber que somos capaces de cambiar el juego a nuestro favor. Sí, somos capaces de grandes victorias. No dejes que otros midan tu habilidad. No te dejes guiar.

Déjate guiar solo por el destino. El destino es la gran corriente del río que va fluyendo. Por lo tanto, ríndete a ella o lucha. Pero antes de hacerlo, piensa en ti mismo con cariño. Eres y siempre debes ser tu prioridad. Sé feliz principalmente, por tu propio bien.

Camino a las Caraíbas

Un año de historia en mi vida. Añorando un tiempo que no volverá. Caminaba casi todos los días una milla y media para ir al trabajo. Me siento digna porque a pesar de que fue un trabajo sencillo, me esforcé mucho. El sueño se hace realidad.

Caraíbas es el nombre del pueblo donde trabajé durante un año como auxiliar administrativo en el municipio de Arcoverde. Era mi segundo trabajo en un examen de la función pública. Fue un buen momento de aprendizaje con los estudiantes. Sin embargo, tenía dos jefes insoportables.

En los Caraíbas aprendí a comer sopa con huevos duros. A veces, comía pollo y cuscús con los maestros. Los profesores fueron amables y pagaron la merienda. Mi sueldo como auxiliar administrativo era muy bajo. Trabajé para ayudar con los gastos de la universidad de matemáticas. Gracias a Dios, el trabajo me ayudó mucho. Compré libros, pagué boletos, compré ropa, compré comida y aun así ahorré algo en ahorros. Estoy increíblemente agradecido por este año de trabajo.

Era la escuela de matemáticas, y yo ya estaba en el cuarto período. El día fue muy agitado. Por la mañana, estaba trabajando en los Caraíbas. Por las tardes, estudiaba y hacía las tareas de la universidad. Por la noche, iba a la universidad. Gracias a Dios, siempre he luchado por una vida mejor. Puedo decir que estoy orgullosa de mí misma, por ser una persona tan trabajadora.

Todo en la vida tiene un por qué y una razón

Todo en la vida tiene un por qué y una razón, absolutamente nada es por casualidad. Lo mismo sucede con la humanidad. Todos los que vienen a este planeta, un lugar de expiación y pruebas, tienen una misión que cumplir. Lo mismo ocurre con todo el mundo. Grande o pequeño, tenemos una función vital en el planeta para la continuación de la vida.

Entender lo que Dios requiere de nosotros y cumplirlo fielmente es un gran obstáculo para todos. Las muchas dificultades impuestas en el camino hacen que muchos renuncien a su propia personalidad y caigan en la corrupción y el fracaso. ¿Qué hacer para solucionar esto y superarlo? Hay un dicho increíblemente sabio que dice: "Dios escribe bien por líneas torcidas". Reforzando este dicho, tenemos que cumplir con nuestro papel, orar al Padre con sinceridad solicitando el cumplimiento de su promesa en nuestra vida. Yahvé Dios es soberano, anima el alma humana, y ciertamente sucederá lo que está escrito. Sin embargo, "Haz tu parte y yo te ayudaré" es otro dicho que complementa al primero y tiene mucho sentido.

Ejemplificando el texto anterior, hablaré de mi experiencia personal. Empecé a escribir entre los años 2006-2007, un texto básico de autoayuda que mecanografiado daba exactamente treinta y siete páginas. Ese mismo año, comencé mi licenciatura y un trabajo en el servicio público. En ese momento, venía de una situación personal y financiera demasiado complicada. En el aspecto personal, había experimentado "Una noche oscura del alma intensa y peligrosa" a la que casi sucumbí por completo. Económicamente, no tenía dinero para nada, ni siquiera para comprar un simple cuadernillo (que me ayudaría en los exámenes públicos) ni mucho menos una computadora que era mi sueño.

Empecé a escribir mi libro en mis horas libres del trabajo porque no tenía otra opción. En dos meses, estaba terminado. Fue también en esta época cuando renuncié a mi trabajo por causas de fuerza mayor y me dediqué solo a la universidad. Una vez terminado mi libro, lo envié a una editorial comercial y esperé a la fecha límite de respuesta.

Tres meses después, junto con el libro llegó una carta educada y amable, en la que descartaban la publicación. Fue mi primer choque literario y mi fracaso lo que sacudió mucho mis estructuras. Sin salida, me concentré en mis estudios y dejé de escribir. En ese momento, no había posibilidad de convertirse en escritor.

Fue en este momento de incertidumbre que las fuerzas del bien actuaron misteriosamente. En dos ocasiones, tuve la prueba necesaria de que mi sueño aún era posible. Al salir de la universidad, con mi pequeño libro en la mano después de mostrárselo a algunos compañeros, recibí el siguiente mensaje de Yahvé, mi padre: "Aldivan, no te preocupes. De todos modos, vas a ganar. Serás "el vidente", el tipo más respetado de la literatura". Esta noticia para mí fue un shock en ese momento. Primero, porque no entendía el alcance del mensaje: ¿Vidente? ¿Cómo es eso? Había escrito un solo libro e incluso entonces, había sido rechazado. No tenía sentido.

La segunda parte del mensaje fue revelada cuando llegué de la universidad a mi amado pueblo. Pasaba por la plaza central cuando, en un momento dado, entré en éxtasis. En cuestión de segundos, pude ver varios títulos de libros, los ángeles cantando y al final la frase: "El hijo de Dios conquistará el mundo". Tampoco tenía ningún sentido en ese momento porque estaba completamente fuera de perspectiva debido a mis problemas. Sin embargo, tenía que creer en mi victoria, aunque me llevara mucho tiempo, porque la promesa venía de Yahvé y era indiscutible.

Final

Milton Keynes UK
Ingram Content Group UK Ltd.
UKHW011937010124
435297UK00001B/148

9 798223 982456